JN005239

東大教授が語り合う10の未来予測

暦本純一／合田圭介
松尾豊／江崎浩／黒田忠広
川原圭博／中須賀真一
戸谷友則／新藏礼子
富田泰輔／加藤真平
編著・瀧口友里奈

大和書房

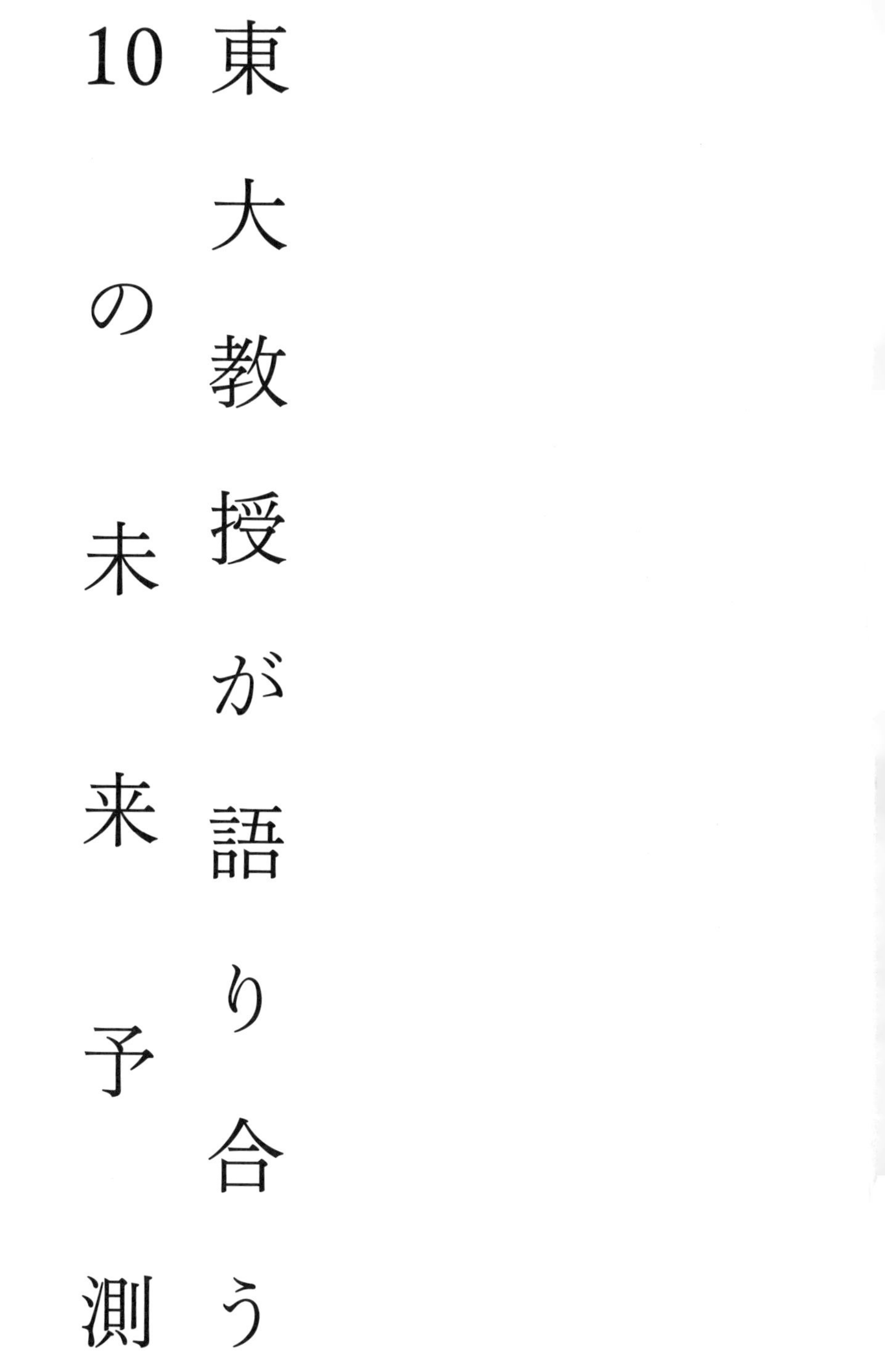

東大教授が語り合う
10の未来予測

はじめに

こんな状況ではありませんか？


なんだか未来が漠然と不安だ。

子供の教育はこれからどうすればよいのだろう？

新規事業を推進する部署にいるけれども、どんなことをしたらよいかわからない。

前よりも、未来を予測するのが難しくなっている気がする。


それもそのはずです。

ここ数年、耳にすることが増えたかもしれませんが「現代はＶＵＣＡの時代だ」と言われています。

ＶＵＣＡとは「不確実性が高く予測が困難な状況である」ことを指す言葉で、Volatility（変動性）Uncertainty（不確実性）Complexity（複雑性）Ambiguity（曖昧性）の頭文字をとったもの。

背景としては、近年の科学技術（サイエンス&テクノロジー）の飛躍的な進歩があります。

現代は、科学技術の進歩の動向への理解を抜きにしては未来への予測を立てることはできませんし、これから自分がどう生きていくか、未来の設計図を作ることも難しいです。

私はここ10年ほどスタートアップ・テクノロジーなど、日本や世界のイノベーションに関する分野の取材を続けてきました。それは、私自身が経済キャスターの使命として「情報を通して、社会のイノベーションを加速すること」が重要だと感じているからです。

VUCA時代であるにも関わらず、今の日本が国全体として変化する力が弱いことに危機感を感じてきました。

そんな中で8年ほど前、スタートアップの取材を続けていた時に出会ったのが、本編にも登場する松尾豊先生です。

輝く目で楽しそうにAIのことについて語る松尾先生。そして「実は今小説を書いているんです。10年後くらいの未来の話なんですよ」。おそらくこの小説は先生自身の趣味のために書いたもので、未発表かと思います。

「なるほど、研究者の方々こそ、未来について考え日々の研究を行っている。これまで未来を変える企業を取材してきたけれども、未来を変える大学の研究の力を取材して伝えたい」。

そこから大学の研究室や、その研究室の最新テクノロジーを素早く実装して社会に活用していく大学発スタートアップの取材をしていくようになり、その過程で、先生たちの牽引力、そしてその源となるビジョンや想像力に大きな魅力を感じるようになりました。

先生たちは研究を通して社会の前進に貢献し、そのことに喜びを感じています。

そしてあらゆる人の好奇心を受け入れてくれる、どっしりとした肥沃な知性の土壌のようでもあります。未来をどう見通しているのか。先生たちの言葉の端端から溢れ出るアイデアや慧眼、その一つ一つを伝えたいという思いが募るようになり、この書籍に結実しました。

よくぞこんなにすごい先生方が集まってくださったと思うような、各分野の最先端の研究に尽力してこられたスター研究者の皆さんにお集まりいただきました。

「1000年先まで生きる人間を作ることができる!?」
「人間に能力をダウンロードする時代になる!?」
「空中からエネルギーをとり、スマホの充電が不要になる!?」

一堂に会することがなかなかない異分野同士の先生方が、想像力をフルパワーにし、知的好奇心の赴くままに互いの知見をぶつけ合うと、驚きの未来予測がいくつも飛び出しました。この本は、あくまでそんな先生たちの楽しい未来予測雑談を覗いてもらう場所です。また、多岐にわたるトークテーマを「AI」「エネルギー」「国家」「教育」「生命」「宇宙」「ビジネス」「IT」「環境」「仮想空間」という全10個のカテゴリーでくくっています。それがタイトルにある「10の未来予測」という言葉の意味です。

先生方は、それぞれの専門分野以外の話をふんだんにしています。なぜなら〝雑談〟だからです。ぜひ、「正しい、正しくない」という尺度だけで内容を測ることなく、学ぶって楽しい！　研究って楽しい！　そんな思いを読む方に実感していただきたいと期待しながら、この本を制作しました。普段なかなか見ることのできない、先生たちの生々しく知的好奇心に溢れる楽しい様子をお楽しみいただけたらと思います。

知の巨人たちが想像力フルで楽しむ、知のワンダーランドへ、ようこそ。

瀧口友里奈

本書に登場する教授陣

暦本純一(れきもとじゅんいち)（東京大学大学院 情報学環 学際情報学府）

1961年東京生まれ。東京工業大学大学院理工学研究科情報科学科修士過程修了。日本電気株式会社勤務、カナダ・アルバータ大学コンピュータグラフィックス研究所研究員を経て、1994年より株式会社ソニーコンピュータサイエンス研究所に勤務。1999年に株式会社ソニーコンピュータサイエンス研究所 インタラクションラボラトリー室長に就任。2007年、東京大学大学院情報学環教授（兼ソニーコンピュータサイエンス研究所）。スマートフォン等で世界的に利用されているマルチタッチインタフェースを開発。著書に『妄想する頭 思考する手 想像を超えるアイデアのつくり方』（祥伝社）など。

[研究内容]　Human Augmentaion（人間拡張）をテーマに、人間とAIの能力がネットワークを越えて相互接続・進化していく未来社会ビジョン Internet of Abilities（IoA）や、人間とAIとの融合形態 Human-AI Integration の具現化を行っている。

合田圭介(ごうだけいすけ)（東京大学大学院 理学系研究科 化学専攻）

1974年北海道生まれ。東京大学大学院理学系研究科化学専攻・教授、カリフォルニア大学ロサンゼルス校工学部生体工学科・非常勤教授、武漢大学工業科学研究院・非常勤教授。2001年にカリフォルニア大学バークレー校理学部物理学科を卒業（首席）。2007年にマサチューセッツ工科大学大学院理学部物理学科博士課程を修了（理学博士）。2012年、東京大学大学院理学系研究科化学専攻に教授として就任。3つのディープテック・ベンチャー企業を創業、取締役。日本学士院学術奨励賞、日本学術振興会賞、SPIE Biophotonics Technology Innovator Award、市村学術賞、文部科学大臣表彰科学技術賞、Philipp Franz von Siebold Award など30以上の賞を受賞。多数のグローバルリーダーの育成・輩出に貢献。

[研究内容]　合田研究室のミッションは、ルイ・パスツールの名言「Chance (serendipity) favors the prepared mind」を実現する「セレンディピティを可能にする技術」を創出すること。その技術を使って、未知の生命現象を発見し、メカニズムを解明し、科学、産業、医療への新しい応用を開拓することを目的としている。

松尾豊（まつおゆたか）（東京大学大学院 工学系研究科 人工物工学研究センター 技術経営戦略学専攻）

1975年香川県生まれ。1997年に東京大学工学部電子情報工学科卒業。東京大学大学院工学系研究科電子情報工学専攻博士課程修了。独立行政法人産業技術総合研究所研究員、スタンフォード大学CSLI客員研究員を経て、2019年から東京大学大学院工学系研究科人工物工学研究センター教授。2017年、日本ディープラーニング協会理事長。2019年、ソフトバンクグループ株式会社取締役（社外）。2021年、新しい資本主義実現会議有識者構成員。2023年、AI戦略会議座長。人工知能研究の第一人者であり、ビジネス界においても注目されている。著書に『人工知能は人間を超えるか―ディープラーニングの先にあるもの』（KADOKAWA）など。

［研究内容］ 専門は人工知能。そのうちディープラーニングに関しては、深層生成モデル、深層強化学習、画像認識、自然言語処理に関する研究などを行う。特に、深層生成モデル（さらには世界モデルの構築）は今後の鍵となる技術と考え、多方面から研究を行っている。そのほか、ウェブ工学や消費インテリジェンスの研究、企業との連携なども行う。

江崎浩（えさきひろし）（東京大学大学院 情報理工学系研究科 創造情報学専攻 デジタル庁 初代 Chief Architect）

1963年福岡県生まれ。1987年、九州大学工学部電子工学科修士課程了。1998年東京大学大型計算機センター助教授、2001年東京大学情報理工学系研究科助教授、2005年東京大学情報理工学系研究科教授、2005年よりWIDEプロジェクトボードメンバー（2011年より代表）。「左手に研究、右手に運用」を合言葉に、日本初のインターネット「WIDE Internet」を基盤として研究に従事。ほか、ビル設備機器の通信仕様をオープン化することで、設備のグリーン化と収益性向上の両立を目指した「東大グリーンICTプロジェクト」を創設。『サイバーファースト インターネット遺伝子が創るデジタルとリアルの逆転経済』（インプレス）など著書多数。

［研究内容］ 専門は情報通信工学。次世代インターネットの規格策定やネットワークの実践・応用を研究している。センサやモバイルを活用したスマートシティの実践やセキュリティなど、幅広く研究を行っている。また、新世代インターネットに関連した基礎技術および応用技術の研究を行い、実際に開発運用することで、実践的な技術を生み出そうとしている。

黒田忠広（くろだただひろ）（東京大学大学院 工学系研究科 附属システムデザイン研究センター）

1959年三重県生まれ。東京大学卒業。東芝研究員、慶應義塾大学教授、カリフォルニア大学バークレー校MacKay Professorを歴任。現在、東京大学大学院教授、慶應義塾大学名誉教授。研究センター d.lab長と技術研究組合RaaS理事長を務める。米国電気電子学会と電子情報通信学会のフェロー。半導体のオリンピックと称される国際会議ISSCCで60年間に最も多くの論文を発表した研究者10人に選ばれる。国際会議VLSIシンポジウム委員長。『半導体超進化論 世界を制する技術の未来』（日経BP）や"Wireless Interface Technologies for 3D IC and Module Integration"(Cambridge)など31冊の著書を出版。500件以上の技術論文を発表したほか、300件以上の講演を行い100件以上に及ぶ特許を申請している。

[研究内容] 専門は半導体集積回路。とくに、低消費電力回路と三次元集積回路に関する研究で先駆的な成果を上げてきた。

川原圭博（かわはらよしひろ）（東京大学大学院 工学系研究科 電気工学専攻）

1977年徳島県生まれ。2005年東京大学大学院情報理工学系研究科博士課程修了。同年同大学院助手。助教、講師、准教授を経て、2011〜2013年ジョージア工科大学客員研究員およびMIT Media Lab客員教員。2019年より同大学院工学系研究科教授。同年インクルーシブ工学連携研究機構長。2022年からは、mercari R4D、Head of Researchを兼任。学生時代にIT系ベンチャー企業に就業し、新しいアイディアをビジネスとして実装する重要性と喜びを学ぶ。そのため、「未来の生活」をデザインすることをライフワークにしつつ、論文を書くだけでなく新技術を世に問うことにも興味を持ち、実践している。

[研究内容] 専門は情報理工学。機器へのエネルギー供給という問題に対し、2つのアプローチで研究を進めている。一つは環境中のエネルギーから微少な電力を取り出し、その電力で永久動作を目指す「エナジーハーベスティング」。もう一つは、電磁波を使って無線通信をするように無線で電力を送りあう「無線電力伝送」。従来の情報系の研究を超え、多面的に研究開発を進めている。

中須賀真一（なかすかしんいち）（東京大学大学院 工学系研究科 航空宇宙工学専攻）

1961年大阪生まれ。1983年東京大学工学部航空学科卒業。1988年東京大学大学院博士課程修了、工学博士（航空学専攻）。1988年日本アイ・ビー・エム（株）東京基礎研究所勤務。AIや自動化工場に関する研究を行う。1990年東京大学航空学科 講師。1993年東京大学先端科学技術研究センター 助教授。1998年東京大学航空宇宙工学専攻 助教授。2004年より東京大学航空宇宙工学専攻 教授。その間、アメリカ・メリーランド大学にてコンピュータサイエンス学科客員研究員、スタンフォード大学航空宇宙工学科客員研究員、オーストラリア国立大学客員研究員なども務める。「知的」な宇宙システムの実現を目指し、研究室では学生主導の超小型衛星プロジェクトを行う。なお、宇宙飛行士の山崎直子氏も中須賀研の出身である。

【研究内容】 専門は宇宙工学。将来の革新的な宇宙システム、宇宙機の航法誘導制御や自律化・知能化の研究・教育を行う。特に2003年に世界で初めて1kgのCubeSat打ち上げ運用に成功して以来、17機の超小型衛星の開発と運用に成功し、この分野の世界のトップを走る。

戸谷友則（とたにとものり）（東京大学大学院 理学系研究科 天文学専攻）

1971年愛知県生まれ。1994年、東京大学理学部物理学科卒。同大学院理学系研究科物理学専攻博士課程修了、博士（理学）。国立天文台理論天文学研究系助手、プリンストン大学（日本学術振興会海外特別研究員）、京都大学大学院理学研究科准教授を経て、平成25年より現職。著書に『宇宙の「果て」になにがあるのか 最先端天文学が描く時間と空間の終わり』、『爆発する宇宙 138億年の宇宙進化』、『宇宙になぜ、生命があるのか 宇宙論で読み解く「生命」の起源と存在』（いずれも講談社）がある。

【研究内容】 宇宙物理学、天文学。宇宙全体の歴史や成り立ち、物質構成などを明らかにする宇宙論の研究を始め、銀河の形成と進化、恒星の爆発現象が引き起こす高エネルギー天体現象なども研究している。「理論と観測（または実験）が車の両輪のようにかみあって初めて科学は発展する」という信念のもとで研究を続ける。

新藏礼子（東京大学 定量生命科学研究所）

1961年京都府生まれ。1986年、京都大学医学部医学科卒業。麻酔科臨床医として病院勤務。1992年、京都大学大学院医学研究科分子生物学大学院生、続いて研修員。1999〜2002年、ハーバード大学子ども病院に留学。2003年、京都大学大学院医学研究科分子生物学、寄付講座免疫ゲノム医学 助手、講師、准教授。2010年、長浜バイオ大学 バイオサイエンス学部バイオサイエンス学科生体応答学教授。2016年、奈良先端科学技術大学院大学 バイオサイエンス研究科応用免疫学教授。2018年、東京大学分子細胞生物学研究所（現・定量生命科学研究所）免疫・感染制御研究分野教授。

［研究内容］ 免疫学、分子生物学。人体を病原体や毒素から守る免疫システムは、大きく「自然免疫」と「獲得免疫」に分けられるが、後者のうち特に「Bリンパ球」が産生する抗体に注目して研究を進めている。また、人間の腸内環境に大きな貢献をしている「IgA抗体」という特殊な抗体の研究を行い、病気の予防や健康維持に役立てることを目指す。

富田泰輔（東京大学大学院 薬学系研究科 薬学専攻）

1973年京都府生まれ。1995年東京大学薬学部薬学科卒業。1997年東京大学大学院薬学系研究科臨床薬学教室 助手。2000年、東京大学博士（薬学）取得。2003年東京大学大学院薬学系研究科臨床薬学教室 講師。2004年日本学術振興会海外特別研究員。2006年東京大学大学院薬学系研究科臨床薬学教室 准教授。2014年東京大学大学院薬学系研究科機能病態学教室教授。『やさしくわかる！文系のための東大の先生が教えるよくわかる認知症（東大の先生が教える文系のためのシリーズ）』（ニュートンプレス）などの著書がある。

［研究内容］ 生化学、アルツハイマー研究。東京大学大学院薬学系研究科機能病態学教室では、アルツハイマー病、自閉症、パーキンソン病を対象に「神経精神疾患の分子・細胞病態解明と介入法」を研究している。"open minded, data sharing"の精神で、他者の視点から見た新しい発見も重視している。また産学との共同研究を積極的に進め、研究成果の社会実装も同時に目指している。

本書の司会・進行

加藤真平（かとうしんぺい）（東京大学大学院 情報理工学系研究科 コンピュータ科学専攻）

1982年神奈川県生まれ。2008年、慶応義塾大学理工学研究科開放環境科学専攻後期博士課程修了。カーネギーメロン大学、カリフォルニア大学の客員研究員、名古屋大学大学院情報科学研究科准教授を経て、東京大学大学院情報理工学系研究科准教授、名古屋大学未来社会創造機構客員准教授、株式会社ティアフォー取締役会長兼最高技術責任者(CTO)、「The Autoware Foundation」代表理事。国際的なコンピュータサイエンスの研究者として知られる。数々の著名論文を発表し、その成果を応用した自動運転ソフトウェア「Autoware」を開発。オープンソースとして全世界に公開したことで注目を集める。著書に『Autoware：自動運転ソフトウェア入門』（共著、リックテレコム）がある。

[研究内容]　ßオペレーティングシステム、組込みリアルタイムシステム、並列分散システム。わかりやすく表現すると、「100ミリ秒かかってしまうシステム処理を1ミリ秒でできるようにすること」を目標としている。その応用として一番社会的にインパクトがあるのが自動運転であるという考えのもと、ビジネスとしての成長と社会貢献を目指す。

瀧口友里奈（たきぐちゆりな）（経済キャスター）

1987年神奈川県生まれ。東京大学文学部社会学専修卒業。SBI新生銀行社外取締役。在学中にセント・フォースに所属して以来、『100分de名著』（NHKEテレ）、『ニュースモーニングサテライト』（テレビ東京）、『CNNサタデーナイト』、経済専門チャンネル『日経CNBC』等の司会やキャスター、そして「難しいテーマだいたい司会する人」としてビジネスイベント等でモデレーターを務める。また、日米欧・三極委員会日本代表を務めるほか、2021年には東京大学工学部 アドバイザリーボードに就任。産学連携を始めとした、社会に開かれた大学づくりへの貢献を目指す。また、東京大学公共政策大学院の修士課程に在学中。2022年には、本書の収録元のYouTube番組『東大×知の巨人たちの雑談』の企画・制作を務める。

[活動内容]　経済分野、特にイノベーション・スタートアップ・テクノロジー領域を中心に、多くの経営者やトップランナーを取材。〝情報の力で社会のイノベーションを加速する〟ことを目指し株式会社グローブエイトを設立。代表取締役を務める。企業・アカデミアと、社会とのコミュニケーションコンテンツの企画・制作を行っている。

目次―東大教授が語り合う　10の未来予測

Ｐａｒｔ２「情報・通信」

江崎浩×黒田忠広×川原圭博

Ｐａｒｔ３「宇宙」

中須賀真一×戸谷友則×江崎浩

Part4 「病気と生命」
新藏礼子×富田泰輔×合田圭介

AI

エネルギー

国家

教育

生命

宇宙

ビジネス

IT

環境

仮想空間

Part1

暦本純一×合田圭介×松尾豊

「人間の能力をテクノロジーによって拡張できるか」をテーマに研究を続ける暦本教授は、もはや世界中で当たり前になっているスマートフォンの操作（指で直接、画面に触れることで操作する）「マルチタッチインタフェース」を開発した人物。松尾教授はAIの第一人者であり、かつソフトバンクグループの社外取締役を務めるなど、ビジネス界でも注目されている。合田教授は物理学的・化学的アプローチによって生物学や医学を行うほか、ダボス会議を主催する世界経済フォーラムのヤング・グローバル・リーダーに選出されている。そんな3人に共通するのは、最先端の科学的分野を学術的に研究しつつ、ビジネスを始めとする現実世界にそれらを繋げようとしていること。果たして今回の座談会では、「人間に能力をダウンロードする」という驚きのテーマから始まり、暦本教授の能力拡張がもたらす未来像をもとに刺激的な意見が飛び交うことになった。さらには、ビジネス界でも活躍する松尾教授から見たイーロン・マスクの〝ヤバさ〟や、合田教授の描く「超長寿」のビジョンなど、三者の未来予測は多面的に展開。果たしてどのような方向性に落ち着くのか。

人間に能力をダウンロードする時代になる？

瀧口友里奈（以下、瀧口）　まずは、暦本先生からいただいた「人間に能力をダウンロードする時代になる？」というテーマです。

暦本純一（以下、暦本）　近い未来、どこまで人間に匹敵するかわからないにせよ、そこそこ賢い機械はできるでしょう。それとは別に、「自分にはない能力を自分の中に取り込めるか」ということにすごく興味があるんです。

現在、すでに実現しているものでいうと「ノイズキャンセリングイヤホン」が挙げられます。現段階では「嫌な音を聞かないですむ」という技術ですが、イヤホンの中のコンピュータに実装されている、いわばアプリです。しかし今後は、「特定の人の声だけ聞きたくない」「怒られている時だけノイズキャンセルをしたい」、あるいは「怒られている時、相手の声のトーンを優しくして聞きたい」といった需要が出てくるじゃないですか。これらの需要にも対応可能なアプリになると思うんです。

そもそも今だって、スマホは電話として使わない場面のほうが多いですよね。それと同じで、色々な能力がアプリみたいに開発できると、我々が持っている能力観がすごく変わるのではないかと思います。自分の脳の外側にニューラルネットの脳がはみ出しているようなものとか。もちろん、脳の外側でなく内側に埋め込むという方向性もありうるし、人にぴったりくっつくインターフェースも出てくると思います。

瀧口　様々な能力がアプリのようにダウンロードできるとしたら、夢のようですけれど……。

暦本　映画『マトリックス』[★1]に出てくる謎の女性・トリニティが「君はヘリコプターを操縦できるか」と聞かれるシーンがあります。その時、彼女は「Not yet（まだ）」って答えるんですね。そして、その後に操縦方法を脳内にダウンロードしてヘリを操縦する。また、電話をかけるシーンでは脳に話者が入ってくる。究極的には、あの映画のようになるのではないかなと思います。それぞれの人に、色々な能力がアプリで入れられる状態が日常化するのではないでしょうか。私の感覚では、聴覚にはその可能性があると思います。

加藤真平（以下、加藤）　他の人の能力を借りられるようになったらいいですよね。例えばいったん松尾先生の脳を借りるようなことって可能なんですか。

松尾豊（以下、松尾）　そのためにはソケットが要りますよね。ソケットを小さい時に装着しておかないといけない。

加藤　なるほど。10年後には色々な能力が開発されて、それがオープンソース（自由に利用できる）になるかもしれませんね。

★1「マトリックス」1999年公開のアメリカ映画。仮想世界「マトリックス」で暮らす主人公（キアヌ・リーブス）が、モーフィアス（ローレンス・フィッシュバーン）という女性と出会い、機械が支配する現実世界を救うために悪戦苦闘するSF作品。深淵なテーマと映像が高く評価された。

瀧口　ある人ができるようになったノウハウや技術を、他の人がダウンロードして自分に入れ込むことができるわけですね。

加藤　みんながプログラムを書けるようになれば、自分が得た能力を他の人がインストールするようになるかもしれませんね。

瀧口　それは、今まで技術を習得するために行ってきた努力がいらなくなるということですか。

松尾　いきなりインストールするというより、タスクを与えて学習を積み重ねていく方法しかできない気がするんです。僕は、人間の脳にアルゴリズム（計算方法）を学習させるためのタスクを「言語タスク」と定義しているんですが、このタスクをうまく使うと、徐々に学習されていくという構造は作れます。というのも、人間はある意味、学習ベースのチューリングマシーン（仮想計算機）[★2]だからです。

暦本　そうですね。ヘリコプターの操縦がすぐにできるようになるというより、ヘリコプターの操縦がスムーズに学習できるような環境になるというのがまずあります。あとはAR（拡張現実）みたいに、「眼鏡をかけると見えないものが見えるようになる」みたいなショートカットはあるのかなと思います。

瀧口　ショートカットというのは、学習時間を短縮するようなイメージですか。

暦本　脳の学習を手伝う場合もあるし、聞こえない音が聞こえるようなイヤホンを作るというテクノロジーもありえます。

合田圭介（以下、合田）　ただ、それも経験をベースに学習するので、経験がないと、つまりヘリコプターというものを知らないで操縦できるようにはならないと思います。だから、自分に入れ込むことができる能力とできない能力が出てくるでしょうね。

暦本　そして、そういうものをネットワーキングできるのかということに興味がありますね。

瀧口　ネットワーキングとは、どのようなものでしょう。

暦本　我々自身はインターネットに直結していませんが、我々のデバイス（スマホなど）はインターネットに直結しています。その直結しているひとつひとつのデバイスに人間に匹敵する知能が生まれた時に、ネットワーク全体がどうなっているのかということです。コンピュータの中では能力は簡単にコピーできますから、1個のコンピュータで学習した能力は瞬時に別のコンピュータにコピーされ、それが全体のネットワークになっていきます。その時に知性はどのようなものとして認識されるようになっているんでしょうね。

松尾　歴史的には、言語がネットワーキングを成し遂げてしまったという側面はありますよね。ただ、言語は伝えられる幅が非常に狭く、速度的にも遅い。ですから、高速で言語を通信できるデバイスを体に埋め込むとするじゃないですか。すると、それを使うためには脳細胞を増やさないといけない。その意味での難しさはあります。例えばｉＰＳ細胞[★3]由来のニューロンを頭のコブのように作らないと繋がらないかもしれません。

★２　「チューリングマシーン（仮想計算機）」「Turing machine」。１９３６年にイギリスの数学者アラン・チューリングが論文の中で発表した、計算をするための機械。この計算機はコンピュータの原理や基礎となっていて、最も単純なコンピュータとも言われている。

★３　「ｉＰＳ細胞」「induced pluripotent stem cell」の略で「人工多能性幹細胞」という意味。皮膚などの体細胞にわずかな因子を入れて培養することで、人間の様々な組織や臓器の細胞に分化する能力を持つｉＰＳ細胞になる。

加藤　そうなるとやはり、小さな子供の時期に頭にデバイスを入れないといけないですか。

瀧口　頭にコブがあると、「あ、この子はもう拡張してる」という感じですかね。

合田　最近では、生まれたときにゲノム編集（ＤＮＡを書き換える技術）でニューロンの数を増やして、計算能力を向上させるという研究がありました。

瀧口　そういうことは、もう行なわれているんですね。

暦本　例えばペースメーカーのように、体内に外部機器が入ってくるというのは考えられますよね。

加藤　能力拡張の方法として、他にはどんなものが考えられますか。例えば、イヤホンや眼鏡など、ウェアラブルなものですか。それとも、やはり埋め込み型が現実的ですか。

暦本　私の感覚としては、装置が見えないように埋め込むのであれば、聴覚が一番現実的だと思います。

加藤　その場合も、やはり小さい頃に埋め込んだほうがいいんですよね。

合田　そうですね。そして、それができるのであれば、生まれたときからもう「その機能はその人の能力である」ということにすればいいと思います。

瀧口　能力をインストールしたり拡張したりできるようになると、人間の価値観もだいぶ変わってくるでしょうね。例えば、オリンピックなどに参加する選手が能力を拡張している場合、現在のドーピングみたいなものにあたらないのか、とか。あと「努力する」ことに対する価値観も変わってきそうですよね。

加藤 「努力する」ということに対する価値観ということでいえば、すでに「ペンで紙に書いて受験をパスする」能力なども求められなくなっていますね。もちろん一定数はあっていいと思いますが、もっと色々な方法を用いて情報を仕入れる能力や、それを元に思考していく能力なんかが大事なんじゃないかと思いますね。

暦本 現実に使われているテクノロジーに話を戻すと、今、Ｚｏｏｍ（オンライン会議サービス）などが普及してオンライン会議が増えているじゃないですか。オンライン会議に能力を足すのはプラグインすればいいだけなので、すごく簡単です。例えば、その場で英語を日本語に翻訳して字幕を出すこともできる。ですから、オンラインが前提だと人間への能力のインストールは極めて現実的です。事実、英語で話している人の発音をネイティブっぽく修正する技術なども、すでにベンチャーで開発されています。英語だけでなく、日本語の発音であっても、ＮＨＫアナウンサーのような話し方に変換したり、関西弁に変換したりできるんです。

瀧口 今、メタバース（3次元仮想空間）[★4]が話題になっていますが、メタバースの世界も、容姿を変えたりできるので人間の能力の拡張のひとつと見ていいんでしょうか。暦本先生は90年代から、ＡＲ（拡張現実）[★5]の研究をされていますよね。

暦本 はい。90年代に初期型のヘッドマウントディスプレイをつけて、めちゃめちゃ酔っちゃってトラウマになっているので、ヘッドマウントディスプレイは否定派なんですが（笑）。

★4 「メタバース（3次元仮想空間）」「metaverse」。インターネット上に構築された3次元仮想空間や、関連するサービスのこと。ユーザーはアバター（自分の分身）を使って、現実世界のように他のユーザーとコミュニケーションできる。
★5 「ＡＲ（拡張現実）」「Augmented Reality」の略。現実世界に仮想空間を重ね合わせて表示する技術。スマホやＡＲスマートグラスなどのデバイス（情報端末）で、現実世界には存在していないものが実際にあるように見える。

加藤　メタバースは、「現実世界の仮想化」ですよね。だから「仮想の現実を作っている」というよりは、「現実の世界はここまで仮想化できますよ」と捉えるべき技術だと思います。

合田　能力の拡張は、一般的な人に知能を追加する方向性だけでなく、知的障害のある方々のために役立てることもできますよね。テクノロジーによって知的障害のある方が能力をつけたら、より活躍できる世界になりますから。

瀧口　そうですね。

加藤　障害を持った方々の活躍では、パラリンピックがわかりやすい例だといえますよね。

瀧口　現在でも、競技によってはパラリンピックの選手がオリンピックの選手の記録を抜いているらしいです。

加藤　テクノロジーによる拡張が進めば、10年後には誰もが一定以上の能力を得ているかもしれませんね。

「内向き・陽キャ」の時代がやってくる

松尾　話は変わりますが、僕も含め、エンジニアはちょっと前までは変わり者扱いされていたと思うんですよ。でも、ラッキーなことに今の時代は、そういう人に向いているんです。

暦本　つまり、これまでは「外向き」と「内向き」の人がいて、「外向き＝陽キャ」で「内向き＝陰キャ」だと思われていたんです。でも、コロナ禍で思ったのは、僕もそうなんですけど「内向き・陽キャ」の人もいるということ。そういう人は、家でずっと作業をしていても全然平気なんです。コロナ禍で人に会えない状況がつらかったのは「外向き・陰キャ」の人たちじゃないかと思っています。

瀧口　なるほど。暦本先生は「内向き・陽キャ」なんですね。

暦本　はい。「内向き・陽キャ」の時代が来たんじゃないかと。

加藤　確かにメタバースの世界には「内向き・陽キャ」な人がたくさんいるかもしれないですね。家にこもっていても平気な人。

松尾　確かにＺｏｏｍの会議って楽しいですもんね。

合田　マーク・ザッカーバーグ（「Ｍｅｔａ」社会長兼ＣＥＯ）の性格も「内向き・陽キャ」ですよね。

暦本　あと、アバターを使ってYouTubeで授業をしている人もいますが、教え方がめちゃめちゃうまいんですよ。ですから、生身で出る必要のない世界もあるんだなと思いました。だって、もしその人のリアルの服装がめちゃめちゃ汚かったりしたら、そっちが気になって教えている内容が頭に入らないかもしれないじゃないですか。だから、自分の見た目を他のものに替えて「自分の能力の強みをより生かす」みたいにすることは、ありだと思います。

瀧口　強調したい能力を引き立てるために、他の要素をちょっと消しておくということですね。

暦本　鳴海拓志先生（東京大学大学院情報理工学系研究科准教授）たちが、授業をアバターと生身の両方で行って比較したらしいんですけど、圧倒的にアバターのほうが評判がよかったそうです。自分よりアバターのほうが人気で、本人は若干しょげてましたが。

加藤　そうなると、1科目に何十人も先生がいる必要もなくなりますよね。

合田　そうなったら、すごく効率的ですよね。

暦本　何人かの先生がアバターに入れば、どんな疑問にも完璧に答えられる理想的な先生になりますからね。どんなアバターの先生を選ぶかは授業を受ける側が選べますから、外見の好みで決めてもいい。

松尾　それに、アバターにしておけば、途中から録画に切り替えてもバレない（笑）。

暦本　リアルと録画を絶妙に切り替えると、どちらかわからないですよね。「今日は雨ですね。じゃあ、授業を始めます」というところだけリアルで、それ以降は録画に切り替えることもできる。で、30分経ったらまたリアルに戻して「質問ありますか」みたいなこともできます。

加藤　あと、録画の授業だと、学生は通常のスピード（1倍速）では聞かないっていいますよね。

暦本　そうですね。だから、対面授業になると「すごくまどろっこしい」とか言われるんですよ。リアルって早送りできないことにみんな気づき始めている。それに「ちょっとわかんないからもう1回……」とか、止めたいときに止められない。「YouTube ではできるのに、なんで現実の授業ではできないんだ」って思ってるんじゃないですかね。

加藤　先生も学生も、もうみんなわかっているんですよね。どう考えたって、録画しておいた授業を動画で流した方が効率がいいと。かつ、質問だけリアルで受け付ける形がいい。

松尾　そのうえで、プレミアムな授業だけリアルにする。

合田　私は、リアルの授業はインタラクション（相互作用）である点がいいと思っているんですよ。質問がなくても学生の表情で「理解しているのか」「つまらないと思っているか」などがわかったりする。それで、教える側のレスポンス（反応）を変えられる。こちち側の教え方や何を強調すべきか、話すスピードをどうするかという調整もできる。そういうメリットがあるんじゃないかなと思っています。

さらに言えば、教える側が喜びを感じるための機会だと思います。

加藤　確かに、そういう意味ではリアルにも意味がありますね。だから、僕が一番中途半端だなと思うのは、リアルタイムでやるＺｏｏｍの授業です。「これってインタラクティブじゃないから、録画でいいじゃん」と思いながらやっていました。

1000歳まで生きる人間を作ることは可能か

瀧口　次のテーマです。合田先生からは「１０００歳まで生きる人間を作れる？」というテーマをいただきました。本当に１０００歳まで生きる人間を作れるんですか？

合田　技術的にはできそうな感じです。人間に応用可能かということは置いておいて、少なくともマウスや昆虫レベルでは、寿命を数倍伸ばすことは可能です。そもそも「老化」というのは、細胞が老化することです。ですから、細胞の老化に関する遺伝子がどこにあるかわかれば、その遺伝子をノックアウトするか改変すればいい。それから、細胞は紫外線など外からの様々な刺激に対して、自分をプロテクト（保護）する機能があるんです。また、ゲノム（遺伝情報）が壊れたときは修復する機能もある。そういった保護・修復をしっかりやっていけば、基本的に老化は防げると思います。そしてそれを人間に適用したら、1000歳や1万歳まで生きることもあり得る話だと思っています。

加藤　すごく素朴な質問なんですけど、そういうテクノロジーを人間に応用するときは、やはり注射を用いるんですか？

合田　注射というのは、化学分子を体内に入れるひとつの方法なので、それもありです。他にも色々な方法があります。

瀧口　最近「NMN（ニコチンアミド・モノヌクレオチド）」[★6]が、不老の薬であるかのように言われていますけれど、あれも「老化は治癒できる」という発想から作られているんですか？

合田　そうですね。あれは、いわゆる「アンチエイジング（抗加齢）」です。各国でものすごい予算が投入され研究されています。ただ、現在エイジング（加齢）を防ぐというのは「高齢者になるのを防ぐ」のか「健康寿命を伸ばす」のか「死なない技術を作る」のかということなどが、一緒になって議論されているので、そこをはっきりしないと「何が技術的にいいのか悪いのか」

「何が倫理的にいいのか悪いのか」があやふやなまま技術開発が進んでしまいます。

加藤　やはり、重要なのは「健康寿命を伸ばす」ことですよね。

超長寿は、人間にとって本当にいいことか

合田　その先になると、もう哲学の話になってきますからね。私は否定派です。生物学的には人間はそんなに長く生きるべきではないと思います。寿命だけ伸ばしてもしょうがないんです。人間はいろんなウイルスに晒されて生きています。そのために新しい感染症なども生まれて、環境も変化しています。そして、そうした変化に適応した次の世代が生まれてくることで、種として存続しているんです。それなのに、一人一人が1000年も生きてしまうと、種としてうまく機能しなくなります。

加藤　1000年生きるって、漫画『鬼滅の刃』に出てくる鬼みたいですね（笑）。「鬼になりたくない。僕は人間でいたいから」って。

松尾　でも『ホモ・デウス　テクノロジーとサピエンスの未来』（河出書房新社・ユヴァル・ノア・

★6 「NMN（ニコチンアミド・モノヌクレオチド）」「Nicotinamide Mono Nucleotide」の略。摂取することで「長寿遺伝子」や「抗老化遺伝子」と呼ばれる「サーチュイン遺伝子」を活性化させることが知られている物質。体内で自然に生成されているが、加齢によって減少していくといわれている。

ハラリ著）に書かれているように、そうしたテクノロジーができてしまったら「死にそうな人を目の前にしても使わない」という決断は難しいですよね。マクロとしてはたしかに「使わない」という判断が妥当に思えるかもしれませんが……。

加藤 そうですね。それに、テクノロジーはどんどん進んでいくので、黙っていても人間は長生き自体はするようになりますよね。

松尾 先ほど、種としてうまく機能しなくなるというお話がありましたが、ディープラーニングの研究で明らかになったのが、微分可能である（連続性がある）ことはめちゃくちゃ強力ということです。ですから、今までの遺伝的アルゴリズムみたいに多種なものを作って、たまたま環境に適応したものが次世代に残る確率を増やす、という手法では進化としては遅いんじゃないかと。

暦本 じゃあ、ひとりの人間が1000歳生きて、1000年間連続的に学習をした方が、ダーウィニズム（自然選択と適者生存）[★7]よりも進化は早いということですかね？

松尾 多様性をきちんと確保するようにすれば、そっちの方が進化が早いかもしれません。

瀧口 種にとってもそのほうがいいんですかね。

暦本 究極の長老主義じゃないですか。

加藤 では、「あなたは1000年生きてください」などと選ばれる人が出てくるんですかね。

松尾 誰かを選ぶのは今の社会では難しいので、今いる人でやるしかないですよね。それで、死亡して欠員が出ると「子供を作っていいよ」という定員制みたいな社会になっていく可能性はあります。

瀧口 人口増大を無視して進めることもできないですよね。それから、地球環境への影響も考慮しなければならないですし、多様な論点のある技術だと思います。

加藤 ちなみに今、100年とか1000年生きる生物っているんですか？

合田 ダーウィンがガラパゴス諸島から持ち帰った亀は、175歳くらいまで生きていましたよね。アフリカには300年くらい生きた亀もいるらしいです。

加藤 亀が数百年生きられるってことは、人間も頑張れば……。

合田 研究としては、亀はどうやって老化をスローダウンさせているかということを解明して、それを人間に適用しようとしています。

加藤 それは「原理上はできる」と判明しているんですか。

合田 「できる」と言い切っていいのかというと、難しいです。というのも、老化はひとつの遺伝子だけが作用しているわけではなく、複数の遺伝子が複雑に相互作用して決まっているからです。ですから、ひとつの遺伝子をノックアウトしても、他の遺伝子がバックアップ的な機能を持っていたりする。生き物って、うまく死ぬようにできているんですよ。逆にいえば、生き物にとって死ぬことはすごく重要なんです。死ぬことでエコシステム（生態系）が機能しているわけですから。高齢化社会も、死なないがゆえの問題ですよね。

合田 先ほど、能力をダウンロードするという話がありましたが、長生きするということは、知

★7 「ダーウィニズム（自然選択と適者生存）」「Darwinism」 イギリスの博物学者チャールズ・ダーウィンが唱えた進化論の中で、特に自然淘汰や適者生存の概念のこと。生物は環境に適応した個体が生き残り、子孫を残すことができたと考える。

識ではなく「細胞をダウンロードする」ということでもありますよね。

加藤　なるほど。ということは、何をダウンロードするかによってだいぶ人生が変わってきますね。そういった科学技術は、10年後にはどのくらいのレベルまで進んでいるんでしょうか。

合田　世界経済フォーラム（ダボス会議[★8]）では、各国の重要人物が「この技術をどう規制するか」もしくは「どうサポートするか」を議論します。しかし、「ここが問題だ」ということは共有しても、その解決方法が議論されないまま1年が経ってしまうんです。しかも、その間にも新しい技術がどんどん出てくるので、倫理的な部分が追いついていません。

例えば2018年、中国で「ゲノム編集ベイビー[★9]が生まれた」という報告がありました。欧米などでは「まず倫理的な議論をして、合意を得てから研究を進めましょう」という感じですが、中国は「とりあえず進めましょう」という方針です。それで、「こんな世界ができてしまう」っていうのを先に見せちゃうんですね。そしたらもう、追いつけないですね。

瀧口　合田先生は中国の武漢大学でも教授をされていますが、日本と中国は研究の進め方に違いはありますか。

合田　やはり民主主義と社会主義による違いがあります。日本のような民主主義は、まず予算を決めますよね。そして、じっくりと研究するので結果が出るまでが長いです。中国は共産党が決めるので、やはり予算は多いですし、結果が出るまでのスピードも早いと思います。

イーロン・マスクの「ヤバさ」とは？

瀧口 続いてのテーマは「イーロン・マスク[★10]はヤバい人」です。「マスクはヤバい」というのは松尾先生がおっしゃっていた表現です。

加藤 マスクの納税額が日本円で1・2兆円にのぼり、総資産がトヨタの時価総額を上回った、といったニュースもありましたよね（2021年末）。

瀧口 一般的には、そういった資産家としてのイメージと、「テスラ（TESLA[★11]）」のイメージが先行しているように思いますが、それだけではないということですよね。

★8 ［世界経済フォーラム（ダボス会議）］ 非営利団体の「世界経済フォーラム」が、毎年1月にスイスのダボスで開催する年次総会。国家元首や政府代表、企業のトップなど、世界100カ国以上の政治や経済のリーダーが集まって世界的な問題を話し合う。

★9 ［ゲノム編集ベイビー］ 2018年11月、中国の研究者が遺伝子を書き換えるゲノム編集技術をヒト胚に使って、双子の女児を誕生させたと発表。その後、倫理的な面などで国内外から批判を浴び、その研究者は違法医療行為罪に問われ、服役した。

★10 ［イーロン・マスク］ 1971年南アフリカ共和国生まれの実業家・エンジニア。米航空宇宙メーカー「スペースX」、米電気自動車メーカー「テスラ」などのCEO。2023年にはTwitterを買収し「X」として運営。

★11 ［テスラ］ 2003年に設立されたアメリカの電気自動車、太陽光発電、再生可能エネルギーを提供する企業。2008年からイーロン・マスクがCEOに。100万台以上の電気自動車を販売している。2021年には人型ロボットを開発すると発表。

松尾　そうですね。最近は脳科学の分野にも進出しています。

瀧口　ブレイン・マシン・インターフェイス（脳波などの脳活動でコンピュータなどを操作する）を開発する「ニューラリンク（Neuralink）」[★12]ですよね。一般的には電気自動車の「テスラ」のイメージが強いかもしれませんが、脳科学の分野もやっているんですよね。

加藤　マスクって、技術的なことはどれくらいわかっているんですかね？

合田　もともと物理学を学んでいたので、すごくよくわかっていると思います。彼はディープテック（最先端の研究成果）をうまくビジネスに変えたんですよ。

加藤　そうですね。マスクがすごいのは、どれだけ赤字になっても、どんどん前に進めていくところだと思うんですよ。

瀧口　だから時価総額もどんどん上がっていきますよね。

加藤　そう。ディープテックってそういう世界ですよね。すぐには売れないかもしれないけれど、きちんと技術開発を進めると、世界を変えるようなすごいことになる。PayPalのような先進的な電子決済の仕組みを作ったのも、はるか昔の話です。

合田　投資家も「それでよし」と言っている。

瀧口　「よし」と言ってもらうような力も持っていますよね。

合田　シリコンバレーならではの考え方でしょうね。日本だとすぐに黒字化を要求されるでしょうから。

瀧口　ところで、松尾先生は「ヤバい人」っていう表現はどういうところから思われたんですか。

松尾　月並みですけど、やっぱりビジョンがすごいですよね。20年ぐらい先を見抜いて、それを信じてやっている。そして、その世界が後からついてくる。その間、お金が足りなくなったりするけれども、なんとかしのいでやっていて、見抜いている世界観はやはりすごいですよね。

瀧口　なるほど。暦本先生はいかがですか。

暦本　マスクは、やっていることが全部、「直球」なんですね。「自動車はバッテリーで動くべきだ、だからそれをやる。以上！」なんです。当時のバッテリー技術だと「本当にやるの？」って思うんですけども、やる。ニューラリンクも「脳に埋め込まないと絶対ダメだ」と言って、そのための手術用ロボットから自分たちで作る。スペースX[13]もそうですよね。「ロケットは飛んで行ったら戻ってくるべきだ」と。だから、言っていることはとてもシンプルなんですが、やるとなるとすごく大変なことなんです。でも、彼にはそれができる財力とビジョンがある。科学者って、けっこう「変化球」をやりたがるんですよ。直球だと苦労するとわかるから、私はカーブで行きます、みたいな気持ちになる。でも、マスクはカーブを投げない。あくまでも直球ど真ん中のストライクを狙っている。すごいのは、そこじゃないですか。

合田　「変化球にならざるを得ない」というのはありますよね。お金がないから、とか。

★12［ニューラリンク］２０１６年にイーロン・マスクらが共同設立したアメリカの脳デバイス企業。脳にチップを埋め込み、脳の信号を読み取ってコンピュータなどと通信する「ブレイン・マシン・インターフェイス」という技術を開発している。

★13［スペースX］２００２年にイーロン・マスクによって設立されたアメリカの宇宙開発企業。すでにロケットや宇宙船、人工衛星などの打ち上げに成功している。２０２０年には民間企業として初めて宇宙飛行士を国際宇宙ステーションに到着させた。

暦本　私たちは色々な方法を考えて、なんとかコストをかけずにやろうとするんだけれど、彼の場合はどれだけコストがかかってもいいから、ど真ん中を行く。

Googleも営利目的ではなく好奇心から始まった

加藤　ビジョンでいえば「Google（グーグル）は、今日の世界を思い描いて検索エンジンを作ったのか」「イーロン・マスクは最初からこの世界観を持っていたのか」が僕は気になるんですよね。もし、最初から持っていたとしたら、もう生き物として違いますね（笑）。

暦本　最初から今の状況が見えていたとは思わないですね。グーグルの最初の最初は、こちら側のページからあちら側のページへは辿れるけど、あちら側のページからは辿れないのはなぜなんだろう、みたいなところから始まったので。どちらかというとキュリオシティ（好奇心）型なんです。そのうえで「これは検索に使えるじゃん」ということで作った。でも、検作エンジンを作っただけでは儲からないんです。事実、その後、広告を結びつけるまで、グーグルは全然儲かっていませんでした。

瀧口　好奇心で作っていたんですね。

暦本　そうですね。でも「全世界の情報はインデックス（検索）されるべきだ」っていうビジョンはやはりすごいと思います。

瀧口　ロボットはどうですか。2022年にテスラ社が人間型ロボット「Optimus（オプティマス）」[★14]を発表しましたよね。日本人からすると、ロボットってドラえもんのような可愛らしいイメージがあると思うんですが、マスクの発表した映像を見たら、そのロボットは身長が高くてスラッとしていたので、あくまで私はですが、「ちょっと怖いな」という印象を持ちました。

加藤　人型ロボットのヒューマノイドは、もともと日本が開発のトップにいたはずなんですよ。日本人のロボットのイメージって人型ですからね。逆に世界的には「別に人型である必要はないでしょ。脚は車輪とかでもいいじゃん」っていう感じでした。日本人研究者のヒューマノイドに対する熱は、最近少し落ちているかもしれませんが、マスクがヒューマノイドを作ったことで、これから盛り上がるかもしれません。日本は、これまでの研究の蓄積があるので、色々と面白くなるんじゃないでしょうか。

合田　マスクは日本のアニメが大好きなんですよね。それが影響しているのかもしれないですね。

加藤　確かに。車の自動運転技術もそうかもしれませんが、アニメなどのSFの世界からイメージしている可能性はありますよね。

★14　「Optimus（オプティマス）」「テスラ」が開発した二足歩行の人型ロボット。2022年にプロトタイプを発表し、現在はテーブルの上にあるモノをつかんで持ち上げて、別の場所に移動させるなど単純な作業をこなすことができるようになった。将来的には雑用をこなすメイドのようなロボットになるという。

研究者はSFがお好き?

瀧口　暦本先生はＳＦがお好きだと聞いているんですが、研究者としてのルーツもＳＦにあったりするんですか。

暦本　そうですね。僕の世代は『鉄腕アトム』[★15]や『サイボーグ００９』[★16]が人気で、僕は鉄腕アトムよりもサイボーグ００９の方が好きでしたね。手塚治虫さんや石ノ森章太郎さんが作った世界って、すごく夢がありながら、ストレートでど真ん中の世界じゃないですか。だからもしマスクが、アトムや００９を好きだったら、それらに魅了されたっていうことですから、すごく面白いですよね。マスクはアニメを見ながら「未来がこうなるのは当たり前で、今はまだそこに至っていないだけ。だから足りないものは何かを探す」と思っているかもしれませんね。マスクでなくても、普通の理科系の人はＳＦに魅了されるプロセスがあるんじゃないですかね。

瀧口　合田先生もＳＦ作品はお好きですか。

合田　好きですよ。映画から結構アイデアを借りたりします。『スタートレック』[★17]とか『スター・ウォーズ』[★18]とか。ＳＦって、あり得ないことが普通に起こるじゃないですか。それがいいんですよね。科学者ってリアルな世界の延長で考える癖があるので、10年後、20年後のイメージはなかなか思いつかない。そこを補ってくれるのがＳＦです。「ああ、こういう技術があると、こんな世界になるのか」とイメージが湧いたりしますから。

瀧口 具体的にＳＦから思いつかれたアイデアはありますか？

合田 私はＵＣＬＡ（米カリフォルニア大学ロサンゼルス校）の教授も兼任しているんですけど、ロサンゼルスはエンターテインメントが盛んなので映画産業が発達していて、ＵＣＬＡの教授がハリウッドのＳＦ映画のアドバイザーをやっていたりするんです。その映画がきちんとサイエンスに基づいているかということを色々とアドバイスします。少し前に『インターステラー』[★19]っていう映画がありましたね。

瀧口 はい。大好きです。

合田 あの映画はカリフォルニア工科大学の教授がアドバイザーをしているので、科学的にはまったく間違っていませんし、あの映画を見ただけで論文が2、3本書けるぐらいの情報があったそうなんです。ハリウッド映画には科学的な根拠がない作品も多いんですが。例えば、『スタ

★15［鉄腕アトム］手塚治虫の代表作。原子力をエネルギー源とする、人間と同じ感情を持ったロボット「アトム」の活躍を描いた漫画。１９６３年にアニメ化。
★16［サイボーグ００９］石ノ森章太郎の代表作。飛行や高速移動などの特殊能力を持つ9人のサイボーグが活躍する漫画。１９６８年にアニメ化。
★17［スタートレック］ジーン・ロッデンベリー製作のＳＦ作品。異星人と交流しながら宇宙探索をする物語。１９７９年に映画公開。
★18［スター・ウォーズ］ジョージ・ルーカス製作のＳＦ映画。銀河系を舞台にした冒険物語。１９７７年映画公開。
★19［インターステラー］２０１４年公開。クリストファー・ノーラン監督作品。銀河系を旅する宇宙飛行士の物語であり、宇宙旅行を通じて人類の未来を探求するＳＦ作品。宇宙、愛、時間といったテーマを軸に、驚異的な映像美と哲学的なストーリーが特徴。

ー・ウォーズ』は宇宙空間なのに音が聞こえたり、光のレーザーが出たりする。そういったことがあったので、今はトップの科学者がアドバイザーをやっているんです。

松尾　『三体』[★20]という小説を読んだのですが、これがすごく面白かったんです。3巻もあるので、ひと言で説明するのは難しいんですけど、ニュートン力学に「三体問題」ってありますよね。「3つの物体が互いに引力を及ぼし合っている時、その軌道は予測不可能になる」というやつです。で、その三体問題のある3つの惑星の物語から始まるんです。

瀧口　最初から難しそうな感じですね（笑）。

松尾　すると何が起こるかというと、いつ太陽が昇るのか、いつ沈むのかが予測できない。なので、1日がめちゃくちゃ長い日もあれば、一瞬で日が沈む日がある。すごく長い冬が来たり、ずっと灼熱の夏だったりする。そういう世界に文明があったという設定の作品です。

瀧口　『三体』は中国のSF小説ですよね。

松尾　はい。SFって科学技術に携わる若い人に刺激を与えるというか、SFの力が潜在的な国の力に近いなと僕は思っています。だから『三体』が出てきたということに、ヤバさを感じています。

瀧口　中国の底知れぬ力ですよね。

暦本　日本だと1970年代に小松左京さんが書いた『日本沈没』[★21]などのSF小説が注目された時代がありましたよね。ですから、国の勢いが強くなる時に想像力も高まるのかもしれません。実は、中国では今SF作家が続出してるんですよ。アメリカでも中国系のSF作家がネビュラ賞（SFやファンタジー作品に与えられる有名な賞）を取っていたりするんです。科学技術だけでなく、有名作家が生まれる土壌もあるのは、すごいパワーだと思います。

加藤 日本のSF的作品というと、僕は「AKIRA」[★22]などを連想するのですが、現実になったSF映画とかあるんですかね？

暦本 それはでもいくらでもあるんじゃないですか。例えば『デジャヴ』[★23]というデンゼル・ワシントン主演の映画があります。48時間前の過去が3次元で再構成されていくんですけど、専門家がアドバイザーとして入っているので、ポイントクラウド（点群データ）のちょっと乱れた感じなどが絶妙なんです。今、まさに自動運転やロボットなどはポイントクラウドで計測しているので、10年くらい前の話が現実になっているということかもしれません。

瀧口 暦本先生ご自身はSF映画からアイデアを得て、それが研究に繋がったものってありますか。

暦本 ウィリアム・ギブスンが書いた『ニューロマンサー』[★24]っていうSF小説がありまして、そ

★20 「三体」リウ・ツーシン作。2019年日本語版出版の、中国のSF小説。物理学者の父を文化大革命で殺された女性科学者が主人公。ある日、巨大軍事基地にスカウトされた彼女は、人類の運命を左右プロジェクトにかかわっていくことになる。

★21 「日本沈没」小松左京による1973年のSF小説。近未来の日本が地震と津波で沈没する様を描き、科学技術と人間ドラマが融合した作品。地震学者の奮闘や国際的な緊張、個人の葛藤が展開され、人間の強さと脆さが描かれる。

★22 「AKIRA」大友克洋によるSF漫画。超能力者の暴走と政府の陰謀、友情と破滅を描き、未来都市ネオ東京の混乱が背景。政治、社会、人間関係に焦点を当て、荒涼とした世界観が特徴。後にアニメ映画化され国際的に評価された。

★23 「デジャヴ」2006年の映画。監督トニー・スコット、主演デンゼル・ワシントン。フェリー爆破で500人以上の犠牲者が出る。捜査官はFBIの特別捜査班にて、政府が極秘開発した監視システム「タイム・ウィンドウ」を見る。それは過去の映像をリアルタイムで再生するものだった……というストーリー。

こで感覚が電脳世界に没入することを「ジャックイン」って呼んでいたんですよ。それで、我々も没入をジャックインと呼んでいます。あと、映画の『ブレインストーム』[★25]ってご存じですか。

瀧口　いいえ。知りません。

暦本　ブレインマシーン（脳波などの脳活動で操作などをする機械）でコンピュータをコントロールするのではなくて、ヘッドバンドのようなデバイスをつけることで、自分の体験を記録して人に伝送できたり、その人の全感覚を伝えられるようにするものです。要するにコミュニケーションの革命で、人間の感覚をネットワークで送るみたいなことです。

瀧口　なるほど。

暦本　人間の欲望が、SF映画では繰り返し試されています。不老長寿もそうです。そうした欲望とテクノロジーの接点がSF映画のような気がします。

加藤　暦本先生が言っているのは、『マトリックス』みたいな世界に近いんですかね。

暦本　かもしれないですね。あと、SF映画ってディストピア（反理想郷）みたいな作品が多いので、「そういった技術ができてしまった時に、我々の社会は果たして幸せでしょうか？」という問いかけにもなっているかもしれません。

瀧口　合田先生はダボス会議で世界の要人にお会いになることも多いと思いますが、そこでSF映画が話題になったりすることはあるんですか。

合田　ありますよ。でも、科学者はSF映画とリアルな科学の違いがわかるんですけど、政治家はそれがわからなかったりします。例えば人工知能を敵視していたりするんですよ。それは、そういう描き方をする映画があまりにも多かったからかもしれませんが……。

加藤　人に対して反乱を起こすんじゃないか、とか（笑）。

瀧口　そういう映画は多いですもんね。

合田　映画『アイ，ロボット』[★26]なんて、人を殺しちゃいますからね。ですから、まずは世界観を共有するところから始めなきゃいけないと思います。

松尾　僕は、人工知能の脅異論とかが出た時に「いや、みんな映画の見過ぎなんですよ」とか言いますけどね（笑）。

瀧口　なるほど。映画がそれだけの影響力を持つのだとすると、トップの研究者の方々がＳＦ映画にアドバイザーとして入るのも、一面では大事なのかもしれませんね。

★24「ニューロマンサー」ウィリアム・ギブスンによる１９８４年のサイバーパンクＳＦ小説。主人公ケイスは、かつてハッカーで、ＡＩとの戦いで自らの過去を取り戻すために奔走する。バーチャルリアリティやハッキング技術、サイバースペースといった先鋭的なテクノロジーが緻密に描かれる。

★25「ブレインストーム」１９８３年公開のアメリカ映画。監督ダグラス・トランブル、主演クリストファー・ウォーケン。科学者らが開発した装置で体験した感情や体験を他者に伝える技術が開発される。しかし、思わぬ事態が発生し、装置を巡る恐怖や過去のトラウマと直面する。

★26「アイ，ロボット」２００４年公開のアメリカ映画。監督アレックス・プロヤス、主演ウィル・スミス。２０３５年のアメリカで、U.S.R.社は新型ロボットNS-5を開発する。刑事スプーナーはラニング博士の死をきっかけに事件に巻き込まれ、ロボットたちの反乱が始まる。

ブレストはもう古い？　「雑談」こそがクリエイティブである理由

瀧口　続いてのテーマです。暦本先生は以前から「ブレインストーミング（ブレスト）／アイデア出し）より、目的のない雑談のほうがアイデアが出る」とおっしゃっていますよね。実は、その言葉に触発されて、私たちはYouTubeで「東大THE NEXT『知の巨人たちの雑談』」という企画（P.260）を始めたのですが、〝雑談のすごさ〟はどういうところにあるのでしょうか。

暦本　僕は「ブレストはダメ」説をずっと言っています。でも、いまだに多くの人たちがボードにポストイットを貼って、それを見ながら話し合ったりする、いわゆるブレストを実践していますよね。でも個人的には、そうしたやり方でいいアイデアが出た試しがないんですよ。いきなりブレストだと、インプットのない状態でいきなりアイデアを出そうという話になりますが、これは無理な話です。むしろ、ブレストが終わったあとの雑談でいいアイデアが出ることのほうが多い。「テーマに沿った有意義なアイデアを出してやろう」と考えている時に、いいアイデアは意外と出ないものなんです。

　最近はＺｏｏｍなどでのコミュニケーションが盛んになりましたが、Ｚｏｏｍでは雑談がしづらいんですよね。もちろん、アジェンダ（議題）つきの会議はできますが、「ふわっと喋る」みたいな会話は難しい。でも、その「ふわっと喋る」ところに、人間のすごさがあるんじゃないかなと思っています。

松尾 暦本先生は特にそうですが、頭がよすぎる人はほとんどのことをすでに自分で考えてしまっているから、ブレストしてもプラスにならないんですよ。「それ、すでに考えたことがあるな」みたいなことしか出てこない。でも、雑談はテーマと関係ないことを話す場合もありますよね。すると、そこから新しいアイデアが出てくることがある。だから、テーマを主体にして考えるとブレストは意味がないんです。だから、暦本先生の頭を主体にして考えるとブレストの意味はないですよね。

暦本 企業の方は、ブレストを否定されるとがっかりしますよね（笑）。

松尾 逆に考えると、普段から考える習慣をあまり持たない人であれば、ブレストのような場も有効だとは思います。

加藤 となると、ブレストは「1回くらいはした方がいいんじゃないか」という、一種の登竜門のようなものですかね。

松尾 少し違う角度からの答えになりますが、世の中には様々な仕事に従事している人がいます。その中で、僕らは「考える」という仕事に従事している。だから、ある事象を見たときに、「もっと違う方法はないのかな」といった疑問を持つじゃないですか。しかし、実際は、そのように考える人は少ない。だから、もしDX[★27]にせよAI[★28]にせよ、それを使いたいのであれば、まずは「考える」癖をつけるべきなんです。松尾研究室ではそういう仮説思考[★29]の方法を取り入れていますが、これを企業向けの研修にして提供したら、めちゃくちゃ好評でした。本当は、仮説思考は普通のことであってほしいのですが……。

瀧口 仮説思考は「まず仮説を立てる」という、科学者としての基本的な姿勢ですよね。合田先生は、ブレストと雑談についてはどうお考えですか？

合田 「雑談のほうがいいアイデアが出る」という意見に、一部は同意します。ブレストは「ブレストができる人同士」でないとほとんど意味がありません。私は教育現場で学生やポスドク[★30]を指導していますが、その時に「コマンダー（司令官）を育てる教育＝コマンダー教育」と「ソルジャー（兵士）を育てる教育＝ソルジャー教育」というふたつの指導方法があると考えています。

「兵士」は多いが、「司令官」が足りない日本

合田 コマンダー（司令官）というのは、ごく少数でいわゆるブレインストーミングで物事を考え、方向性を見出し、トライ＆エラーでチームを引っぱっていける人たちのことです。それに対して、ソルジャー（兵士）はミスせずに従っていく人。東京大学の学生やポスドクは、実はほとんどがソルジャーなんです。というか、日本の教育は、ほとんどがソルジャー教育です。

アメリカはというと、コマンダー教育を実施している一方で、中国人やインド人などの移民で

ソルジャーを補ってもいます。コマンダーがうまく機能するといいアイデアが出て、進む方向性を導いてくれる。そして、チームやコミュニティとしていい方向に進んでいきます。シリコンバレーなどは、コマンダーとソルジャーの使い分けがうまくいっているケースだと思います。「天才は少数で、それをサポートする人たちが大多数」という組織がいちばんよく機能すると思います。サッカーがそうであるように、天才プレイヤーばかり集めてもチームとしては機能しません。

瀧口 日本には、もっとコマンダー教育があった方がいいということですか。

合田 そうですね。でも、一部の人だけにコマンダー教育をしていいのかという問題があります。だから国としては、どうしても人数的に多いソルジャー教育が中心になってしまう。歴史的には、ヨーロッパではもともとそうした教育が行なわれていました。奴隷がソルジャー教育を受けていたわけです。次に奴隷が移民に変わって、今はＤＸやロボットがその役割です。だから、ソルジャー教育のニーズがだんだん減っています。その影響で日本の教育もコマンダー教育に変わってきています。

★27［ＤＸ］「Digital Transformation」の略で「デジタル変革」という意味。主に企業などがデータやデジタル技術を活用して、業務や組織、仕事のプロセスや企業文化などを変革すること。そして、競争の中で優位性を保つこと。

★28［ＡＩ］「Artificial Intelligence」の略で「人工知能」の意味。１９５６年に計算機科学者・認知科学者のジョン・マッカーシー教授が提唱した言葉。最近は大量のデータを読み込んで新しい画像を生成する「画像生成ＡＩ」や、文章などで人間との自然なコミュニケションができる「自然言語処理ＡＩ」の「ChatGTP」などが注目されている。

★29［仮説思考］情報収集や分析が完全に終わっていない段階で、それまでに得られた情報の中から、最も可能性の高い結論を「仮の結論（仮説）」として設定して、その仮説に基づいて実行や検証を繰り返し行なっていく思考法のこと。

★30［ポスドク］「Postdoctoral Researcher」「Postdoctoral Fellow」などの略で「博士研究員」の意味。博士号を取得した後に、任期付きで大学や研究機関で研究活動をする研究員のこと。大学院終了後に研究者を目指す人のキャリアのひとつ。

瀧口　なるほど。DXとともにコマンダー教育に切り替えていったほうがいい、ということですね。

合田　そう思います。ただ、今はまだ過渡期ですね。

暦本　コマンダー教育というのは知らなかったですね。面白い。確かに「言われたことがちゃんとできます」というだけの（ソルジャー型の）人に対しては、「それはロボットがやるから……」となりますよね。だから、「やりたいことを作り出せる人」が必要になってくる。そして、やりたいことを作り出すだけでなく、人々を引き寄せる魅力を持っていることも重要になるのかなと思います。実際、謎に魅力がある人っていますから（笑）。

加藤　まとめると、勉強したほうがいいってことですね。

瀧口　すごくざっくりまとめましたね（笑）。

優秀な人たちの共通点は移民？

瀧口　続いては、合田先生からいただいたテーマで「優秀な人たちの共通点は移民？」です。解説をお願いできますか。

合田　すでに何度か話題に出ているイーロン・マスク、Googleの共同創業者セルゲイ・ブリン[★31]、Amazon の創業者ジェフ・ベゾス[★32]などの有名な起業家は、移民や移民の家系です。また、2021年のアメリカ人ノーベル賞受賞者5名（デヴィッド・ジュリアス、アーデム・パタプティアン、デヴィッド・マクミラン、ヨシュア・アングリスト、グイド・インベンス）のうち、純粋なアメリカ生まれは1名だけ（デヴィッド・ジュリアス）。4名は移民の出身者です。移民が活躍している理由は、新しい環境に触れることで新たな価値観や考え方を生み出せる機会が増えること。移民国家であるアメリカは、常に移民が入ってくるので、異なる文化や背景を持つ人々が多様な産業や基礎研究に新しいアイデアをもたらすことがあります。

あとは、元々アメリカに住んでいる人からすると、移民によって自分が置き換えられる危機感を常に覚えています。一方で新たにアメリカへと移住していく人には、「一旗あげよう」というインセンティブが働く。そんなエコシステムがうまく機能し、ノーベル賞などに至っていると思います。

瀧口　なるほど、常に競争が起こる環境であると。その点、日本はまだ移民を受け入れるための環境が完全には整備されていないので、まったく状況が異なるということですね。

ところで、先ほど合田先生がコマンダー教育とソルジャー教育についてお話しされていた時に

★31［セルゲイ・ブリン］１９７3年生まれ、アメリカのコンピュータ科学者・実業家で、Google 共同創業者の一人。スタンフォード大学でラリー・ペイジと Google を創業。Google の技術面を担当し、検索エンジンの開発で知られる。その後はＡＩや宇宙探査などの分野にも取り組み、Google X（現 Alphabet Inc.）のプロジェクトリーダーでもあった。教育、技術の普及、慈善活動にも積極的に取り組む。
★32［ジェフ・ベゾス］１９６４年生まれ、アメリカの実業家・起業家。Amazon の創業者であり初代ＣＥＯ。プリンストン大学卒。Amazon は１９９４年に設立され、オンライン書店からスタートし、今や世界最大のオンライン小売企業となった。他にも宇宙事業の Blue Origin や The Washington Post の所有者としても知られる。

「移民はソルジャー教育を受けている」という部分がありましたが、そこと今のお話とは何か関連性があるんですか。

合田　移民となったばかりの人たちはソルジャー教育で育ちますが、2世以降の移民はコマンダー教育を受けることがあります。特に、コマンダー教育を受けたいと思って移民となった2世以降の人は、その国の教育システムや文化により深く関わることができ、優れた人材となることがあります。そのような経験や教育を受けた人が、ノーベル賞などの優れた成果を上げられるのでしょう。

加藤　それは移民がすごいのか、それともアメリカの教育環境が優れているから移民が成功するのか、どちらなんでしょうか。

合田　アメリカが優れているのは「今の移民の能力が高いから」だと言えます。今はシンガポールやスイス、オーストラリアなどでも移民の方々が活躍しています。異なる文化が交わることで切磋琢磨できる環境が生まれるのかもしれません。

加藤　結局、競争意識なんですかね。

合田　それとダイバーシティ（多様性）があることで、新たな考え方が生まれる機会を大きく増やしています。革新的なアイデアや研究は、ダイバーシティによって促進されると言えるでしょう。あと、既得権益も壊します。

加藤　そうすると日本は、ダイバーシティとは真逆の「保守本流の鑑」みたいな国ですよね。移民もそれほどいませんし。

合田　まあ、日本人も元を辿れば移民ですよ。というか、すべての人類はアフリカからの移民です（笑）。

加藤　中国みたいに、優秀な自国民に戻ってきてもらうというのはどうなんでしょう。中国は移民を受け入れるというより、世界中に広がった中国人の中から一部の優秀な人を呼び戻しているイメージがあります。

合田　日本人はまだその数が少ないですよね。日本の留学生数もまだ少ないですし、留学先から帰ってくる人もそれほど多くはありません。もちろん、一部の人が日本に戻ってくることもありますが、戻ってきても受け入れる側がうまく活用できなかったりしています。

瀧口　暦本先生は、今の移民のお話についてどう思われますか。

暦本　才能ある人は地球上にランダムに分布しているはずなので、特定の国に才能ある人が自然に集まるわけではないと思います。アメリカのような国は、世界中のすごい人が集まる仕掛けができている。そういう仕組みを作ったところが一番すごいと思います。

一方で日本の場合、すごい人を呼ぶ努力もしていないですよね。受け入れ体制が他の国と比べてあまり整っていないと感じます。特にコロナ禍では、留学生の受け入れが制限されていた状況があります。しかし、地球の裏側のすごい才能に来てもらうための構造を作らないと、発展はない気がします。ただし、「移民の多いアメリカが幸せか」というとすごく難しい問題です。格差が激しいので、負けた人にとっては幸福ではないかもしれません。

加藤　移民を多く受け入れている国は、科学技術やイノベーションの面で前進している傾向があります。ただし、視点によっては日本も悪くないと言えるでしょう。移民を受け入れるかどうかは、結果によって評価が分かれると思います。例えば、科学技術の発展につながる一方で、格差が広がる可能性もある。僕自身コンピュータの研究をしているので、改善することで必ず何かが損なわれるという面があることを理解しています。ですから、移民に関してもいい面と悪い面があるのではないかと思います。

合田　犯罪率などは、そうですよね。

海外からの人材受け入れを真剣に見直すべき

暦本　ちょっとハイブリッドな話ですと、リモートワークがどれだけ進むかが重要になってきますね。外国に住んでいる人をリモートワークで雇う時、電子的に雇えるかどうかなどが焦点になってくると思います。

加藤　今はリモートワークが広がっていますが、雇用はできないんですよね。保険とか労災とかそういう点で、雇用関係や労働法の問題が出てくるんですが、そこが整備されるとだいぶ良くなりそうですね。

松尾　ただやはり、国のあり方をもっと見直す必要があるのではないかと思います。東京大学にも外国人留学生が多く在籍していますし、ポスドク（博士号取得研究者）制度に応募してくれる人もいますが、まだまだクローズドな傾向にあると感じます。外国の優秀な研究者が大学に応募する場合、面接や筆記試験を現地で行なうのか、日本に来るように求めるのかは大きな違いです。もっと改善すべき課題はあると思います。そうしないと優秀な人は来てくれません。

加藤　大学や公的機関の場合は、待遇などの条件が決まっているため、特別に優秀な人だからといって優遇するのは難しい。しかし、企業だと自らで待遇を決めることができるので、そこは問題にならないかもしれませんね。

松尾　なんというか、日本は純粋に損していると思います。例えばもっと、ＧＡＦＡ（Google、Apple、Facebook（現Meta）、Amazon）の社員を友達に持つような日本人が多くならないと。そうでない、架空のＧＡＦＡ社員の存在を前提に話をしても仕方ないと思うんです。

瀧口　「友達」というのは素敵な表現ですね。そういったリアルな関係性からイノベーションが起きることも多いですもんね。

松尾　海外で頑張っている日本人自体はいますよ。そういう人たちに対しては、本国がもう少し「頑張れ」といったことを言ってあげてほしいと思います。おまんじゅうくらい送ってあげてほしい（笑）。

瀧口　具体的な品目まで（笑）。でも、たしかに海外での日本人の頑張りと、それに対する日本からの見方には隔たりがありますよね。合田先生は3つの大学（東京大学、米国カリフォルニア大学ロサンゼルス校、中国武漢大学）でお仕事をされていますが、いかがでしょうか。

合田　日米中の大学で働いていることで、人の循環が行なえるんですよ。私の研究室は非常に小さなコミュニティですが、他の大学から人を呼んでダイバーシティを充実させることで、新しい価値観を生み出そうとしています。実際、それはうまくいっていると思います。

瀧口　なるほど。そういったモデルが今後、どんどん広がっていってほしいですね。

合田　ですから「オールジャパン」はやめた方がいいと思います。村社会そのものですから。アメリカは「オールアメリカ」でやろうとしていません。世界中の人たちがアメリカに集まってきて「オールワールド」でやっているわけですから。

日本企業が世界で勝つための「t」

松尾　これは、僕が最近いろんなところで使っている複利計算[★33]の式です（P.55上図）。「a」が元金、「r」が利率、「t」が運用期間だとします。

普通、みんな「r（利率）」を大きくしようとするんです。利回りのいい金融商品を買いたいし、新製品を売るために性能を上げるわけです。でも、こうやって「r（利率）」を高くしようとするのは従来型で、最近はこの「t（運用期間）」を大きくすることができるようになってきたんです。「t（運用期間）」は「〇〇年後」ということなので、大きくするには、これまで「待つ」ことし

$$f(t)=a(1+r)^t$$

t＝時間　r＝利率　a＝元本

かできませんでした。ですが近年、デジタル化が進んでPDCA（P＝PLAN／計画、D＝Do／実行、C＝Check／評価、A＝Action／改善）のサイクルがめちゃくちゃ加速しているんです。GAFAなどは「ABテスト」を何万回と試して、いい方を取ることが可能になってきた。これは実質的に「t（運用期間）」を大きくしているのと同じことです。世界ではすでに「t（運用期間）」を大きくする戦いが始まっています。にもかかわらず、日本ではいまだに「r（利率）」を大きくすることに注力している。

加藤　なるほど。

松尾　「t（運用期間）」を大きくしようと思ったら、デジタル化したりAIを使ったりするのは当たり前です。そうして初めて、「失敗してもいいからまず試してみよう」とか、アイデアをたくさん出さないといけないので「多様性が大事」とか「オープンイノベーションが大事」とか「フラットな組織じゃないとダメですね」といったマインドになる。つまり、「t（時間）」を最大化しようとすると、自然とシリコンバレー的になるんですね。その意味で、日本全体で最大化すべき目的関数が間違っているのではないかと思います。

加藤　「技術」の話は突き詰めると「組織」の話になりますよね。ひとりで物を生み出しているわけではありませんから。例えばいい技術を作ろうとすると、何人かで取り組むわけですが、100年かけて結果を出しても意味がありません。だから早く結果を出すためには、どうやってコミュニケーションを取るかを考えることになる。すると、やはり組織の話になります。私もベンチャー企業で、最初は技術の話をしていても、会議を重ねるうちに大抵は組織の話になっています。でも、いいものを作るためには組織の仕組みが重要で、天才が何人かいるよりも、組織をうまく作れる方がよりいいものができるんです。でも、組織の話には興味がない人たちも多い。特に技術者などはそういう人が多いので、そこはジレンマだなと感じています。「組織の話はしたくないけど、しないといいものが作れない」という感じですかね。

松尾　大事なのは速く動くってことですね。日本の組織は階層が深すぎて、動きが遅いんです。イーロン・マスクの「テスラ」は時価総額1兆ドルを超えて、主要自動車メーカー上位7社（トヨタ、フォルクスワーゲン、ダイムラー、GM、BMW、ステランティス、フォード）を合計した時価総額より上だといいますよね。でも、テスラはディーラー（販売店）をほぼ持っていないんです。テレビCMを使わずに口コミでマーケティングしているんです。

瀧口　広告宣伝費をかけないというところがすごいですよね（番組収録時点）。

松尾　テスラは生産工場をロボットなどで自動化していますよね。実はPDCAのサイクルを速めようとすると、それがベストなんです。他の自動車メーカーはみんな性能をよくすることに注力して「r（利率）」を取りに行っているけれども、テスラは「t（運用期間）」を重要視する戦略をとっている。「t（運用期間）」を大きくすると、指数的に成長するんです。だから、他社はやはり負けますよね。

PDCAを考える上で、本当に大切なこと

瀧口　ＰＤＣＡといえば、以前、松尾先生から「ＰＤＣＡサイクルがきちんと回っていることを確認する人」が必要だというお話を聞きました。

松尾　ＰＤＣＡを回す知識が誰に溜まるのか、という話ですよね。従来は知識が部署に溜まっていたんです。例えばＰＤＣＡが1年で1周する場合、10年で10周ですから、その部署に10年いる人は自分たちが何をやってきたかがわかっていた。でも、もし半年で1周になり、1ヵ月で1周になり、１週間で1周になってくると、１年でめちゃくちゃ進んでしまいますよね。そして、その担当をしていた人が部署から離れてしまうと、それまで溜まっていた知識がどっと失われます。ですから、誰がＰＤＣＡを回しているのか、どこに知識を保持していくのか、それをどうやって維持していくのかということは、すごく大事だと思います。

瀧口　ここで問題になるのは、日本企業はなぜ「ｒ（利率）」を重視しやすいのかという点ですよね。何か理由があるのでしょうか。

★33［複利計算］発生した利子を元金に組み入れる計算方法。元金が１００万円で金利が年２％だと一年後には１０２万円になる。翌年はこの１０２万円に２％の金利がつき１０４万４００円になる。単利計算は元金が変わらず、毎年２万円の利子がつくので、２年後は１０４万円になる。

松尾　例えば、日本企業の商品がインドで売れないのは「品質が高すぎるために買われない」という話があります。しかし問題は品質ではなく、顧客に合わせるスピードが遅い、要するにサイクルが遅いということだと思います。日本企業はこれまで1年単位で商品が作られていて、それである程度うまくいっていたので、いまだにそれを引きずっているんです。そして、根本的な問題を見ずに「なんとなくシリコンバレー的な雰囲気」であるとか「オープンイノベーション」だとか、形ばかりを追い求めようとしています。そうではなく、本質である「t（運用期間）」の部分を重視して改善していけば結果は出るし、日本なりのもっといい「t（運用期間）」を大きくする方法があるはずだと思うんです。

合田　その時に国がシリコンバレーを真似しようとするのは、ちょっとおかしいと思います。そもそも、なぜシリコンバレーにＩＴ関連企業が集中してイノベーションができたかというと、やはりアメリカの中でもワシントンD.C.から一番離れたところにあったからなんです。

暦本　それで言うと、東京大学は日本の政府機関がある東京にありますが、世界的に見ると、政府の近くにある大学がその国トップの大学であるというのは珍しいことなんです。例えばアメリカの首都であるワシントンD.C.にある大学は、一般的な大学とちょっと違ったタイプの大学です。スタンフォード大学はカリフォルニア州なので首都からかなり離れていますし、ハーバード大学も、イギリスのケンブリッジ大学も、田舎みたいな場所にあります。ですから、イノベーションをする人は政府の人たちと基本的に感覚が違っていて「政府に関係なく勝手にやりますよ」という気持ちでいると思います。

ところで、松尾先生にちょっとお聞きしたいんですが「r（利率）」は「選択と集中（特定の事業分野に資源を集中すること）」に関係してくるんでしょうか。イーロン・マスクがやっていることはすごくサイクルが早いんですけど、言い方を変えると「究極の選択と集中」をやっているように見えます。

松尾　そうですね。サイクルが早いというのは「ニーズの探索」「インプルーブメント（改善）」「顧客に対するパーソナライゼーション（最適化）」などの活動が同時に起きているんだと思います。その結果として選択と集中ができているのではないでしょうか。

暦本　たぶん、最初はプローブ（調査）みたいなことをしてから実行に移す。だから選択できる余地がある。けれども今の日本は、いきなり「このへんだろう」とか「アメリカがこのへんをやっているからやろう」みたいなことでやっているんですかね。

できてもいない商品の告知をする！　アメリカのスピード感

松尾　先ほどスピードの速さの話をしましたが、インターネットの世界では、例えば「こういう商品は売れるかな」と思ったら、ランディングページ（商品紹介のページ）にすぐ「新商品発売！」と出して、注文を受けてから考えるんです。そういうやり方はすでにあるんです。

暦本　アメリカのスタートアップのアーリーステージ（初期段階）は、赤字なのにガンガン進んでいくイメージがありますよね。それにアメリカの大学の研究も似たような感じで、最初からお金の回収にこだわらないフェーズがある。

松尾　そういう方法論がすでにあるから、「きちんと探索ができていればいい」とベンチャーキャピタルも考えて、そこに投資する人たちもいる。

瀧口　やっぱり、その〝探索の時間〟を可能にするのは、ベンチャーキャピタルなどのエコシステムの存在ですよね。それがちゃんと整っているからこそ、安心して進めるという感じがします。

松尾　そうですね。最初に探索して、徐々にＰＭＦ（Product-Market Fit／プロダクトマーケットフィット＝顧客が満足する商品を顧客が適切にいる市場で提供する）が充実していき、広告に投資して収益化を図るという方程式です。

瀧口　日本では、その方程式をうまく共有できていないところがあるんでしょうね。

加藤　日本は保守的な傾向がありますからね。「安全で品質の高いものでなければならない」という考えが根づいていて、そのために遅いサイクルが生まれている。先ほどの松尾先生のお話で言うと、、ランディングページで何かを売るというのは、いわば「約束」を売っているということで、実際にはまだ作っていない商品を売っているわけです。これは日本人の気質からすると「できていない商品は、品質が保証されていない」というふうに考えてしまう。

合田　仕方ないことですが、高齢化の影響もあるでしょうね。高齢化社会では、生きる年数が限られているため、20年以上使って減価償却するような、長期的に使う商品の購入にはなかなか踏み切れない。

松尾　でも、1000歳まで生きられるかもしれない（P.27参照）となると話は変わってきますよね。

暦本　究極の超高齢化社会ではありますが、確かに投資へのマインドは変わるかもしれません（笑）。1000年生きるなら、100年以上の投資を続けることができますから、今よりずっと長期的な視点が求められますね。

松尾　そうすれば、もっと若者に注目が集まるんじゃないですか。

瀧口　1000年も生きられるなら、基礎科学の研究にもっと投資すべきかもしれませんね。

暦本　そうなると、最初の200年くらい赤字でも大丈夫ですよ（笑）。

ノーベル賞の半分は偶然による発見？

瀧口　では、次のテーマに移りましょう。合田先生からいただいた「ノーベル賞の半分がセレンディピティ（偶然による発見）によるもの」というテーマです。

合田　そうなんですよね。例えばペニシリン[★34]やX線[★35]など、ノーベル賞の半分以上が偶然のおかげで受賞しているんです。当初狙っていたものではないんだけど、まったく意図していないところで偶然に発見され、それが大ヒットして、後でその価値が認められる。つまりそのためには、偶然に気づくことが重要であるにもかかわらず、計画に則った研究開発ではなかなか気づかないんです。偶然というのは、要するに脱線やエラーなので。

しかし多様性があると、偶然に気づきやすくなります。同じような方向を見ている人たちだけじゃなくて、いろんなバックグラウンドや経験を持つ人たちの視点で見ていると、新たな発見が生まれるんです。多様性がセレンディピティを支え、それがノーベル賞的な研究や開発の展開に繋がるんです。

暦本　確かにノーベル賞受賞者はほとんどが「ラッキーだった」と言いますね。そして、2度受賞する人は極めて少ない。一度受賞できるほど優秀な人なら、もう一度受賞してもおかしくないと思うのですが、実際にはそうではないんです。やはり、ラッキーな要素が必要なのかなと思います。

加藤　放射能の研究で有名なマリ・キュリー夫人[★36]は2度受賞していますよね。

合田　同一分野で2つとった人はほとんどいないですね（フレデリック・サンガーとバリー・シャープレスがノーベル化学賞を2度受賞、ジョン・バーディーンが物理学賞を2度受賞）。

瀧口　合田先生は、セレンディピティを起こしやすくする研究をされているんですよね。

合田　はい。セレンディピティというのは、砂漠で一粒のダイヤを見つけるような「やっても無駄だ」というくらい偶然の幸運な発見、という意味です。でも、もしそれを実現するような技術があったら、セレンディピティを計画的に創出できるだろうという結論に至ったわけです。我々は基本的に仮設ドリブンではなく、データドリブンで研究を進めています。つまり、とりあえずデータをできるだけ早くたくさん取り、そのデータからあるパターンを見つけようとします。

瀧口 最初からある仮説に基づいて行なっていくのではなく、まずはデータがあって、それによって仮説を導いてから進めていくということですね。

合田 はい。ほとんどの研究は仮説ベースです。科学は基本的に何かの現象を観察して、そこから法則を見つけて、仮説を立てて、それを実験で検証することです。でも、仮説を生み出せるような現象は、もうやり尽くされているんですよ。100年前から多くの人が研究しているわけですから。人間的な感覚で研究をやるのは、ほぼ無理があるんです。

暦本 「将来、ノーベル賞級の発見はAIがするだろう」という話もありますよね。実際、先ほどの「t(運用期間)」を究極に進めるのは、人間では遅すぎます。しかし、AIならデータを分析して仮説を立てる作業をパラレルに行なうことができるかもしれません。その場合、仮説AIと人間が協力をする形になるのではないでしょうか。

★34［ペニシリン］1928年にイギリスの細菌学者アレクサンダー・フレミングによって発見された世界初の抗生物質。肺炎や破傷風などの感染症を治す薬。パンなどに生えるアオカビから作られている。1945年にノーベル生理学・医学賞を受賞。

★35［X線］1895年にドイツの物理学者ヴィルヘルム・レントゲンによって発見された電磁波の一種。X線は密度の高い骨などの物質は透過せず、密度の低い皮膚などは透過する性質を持っている。発見者の名前を取って「レントゲン」と呼ばれることもある。1901年に第1回ノーベル物理学賞を受賞した。

★36［マリ・キュリー夫人］物理学者、科学者。ポーランド出身。1867—1934。放射能研究のパイオニアで、ラジウムとポロニウムという新しい放射性元素を発見した。1903年にノーベル物理学賞を受賞(女性初)、1911年にノーベル化学賞を受賞。物理学賞と化学賞という異なる分野でノーベル賞を受賞した。

加藤　実際にもしロボットがノーベル賞に相当する発見をした場合、それはロボット自体に授与されるのか、それともロボットを開発した人間に与えられるのかという話もありましたよね。

合田　それは後者じゃないですか。

暦本　そうですね。それでも、人間のバイアスを排除した純粋な計算によって新たな発見が導かれるかもしれません。例えば将棋のＡＩの開発でも、昔はヒューリスティックス（経験則）が重要視されましたが、結局はそれを捨てて、純粋な計算によるアプローチの方がいい結果を出せたということです。名人のヒューリスティックを排除して純粋な計算に頼ることで、新たな発見が生まれる可能性があるのかもしれません。将棋ＡＩの「アルファゼロ（Alpha Zero／Deep Mind社が開発したコンピュータプログラム）なども、人間のヒューリスティックを一切使用していませんよね。

数学だけが、役に立ちすぎる

松尾　今、計算の話が出ましたが、数学っておかしいんですよ。というのは、やたら強力すぎるんです。人間は歴史的に様々なものを生み出してきましたが、数学だけがやたら役に立ちすぎるんですよ。なぜなんでしょうね、ということを合田先生にお聞きしたかったのですが……なんでなんでしょうね？

合田 万国で通じる共通言語だからだ、と思うんですよ。数式にすれば一発でわかるじゃないですか。効率的に解析ができて説明する時間が短縮できます。また、数学は捉える側のバイアスを排除できて客観的な視点を持つことができます。

松尾 それもあると思うんですが、なんで世の中の現象がこんなに数学で記述できちゃうのかっていう…。

暦本 あるいは、数学で記述できる範囲しか人間にとって「知」として見えていないのかもしれません。つまり、数学の外側にもっと広い世界が広がっているかもしれませんよ。

合田 科学的手法を作ったのは、古代ギリシャの哲学者アリストテレスです。しかし、ガリレオの時代まで、実験結果を数式で表現するという手法はほとんど使われていませんでした。しかし、ガリレオが数式を用いて実験データを解析し、その結果を共有したことで、科学的手法の重要性が実証されました。それ以降、数式を用いて現象や実験結果を解析することが爆発的に広がりました。

瀧口 ガリレオの時代までは、実験結果の数式的な記述はほとんど行なわれていなかったんですか。

合田 数値化できない、もっと定性的な表現だったんです。

暦本 言葉の起源は「毛づくろい」とか「歌」とか色々と言われています。しかしそれらの言葉は主に社会的な関係を維持するために使われているだけで、言語の中に内包されている本来のロジックはそれに必要なかったんでしょう。にもかかわらず、そのロジックを数式として純粋に取り出すと非常に有益だということがわかり、爆発的に広がったんでしょうね。

瀧口　なるほど、面白いですね。

暦本　ですがもし将来、ニューラルネットワーク同士が通信することがあるとしたら、数式では通信しない気がします。謎のデータを交換しだしてお互い成長しだしたら、それこそがシンギュラリティかもしれない。

松尾　かもしれないし、宇宙がどうできているかといったことも、暦本先生のおっしゃったことと関係しているかもしれないですね。

瀧口　数学という枠にとどまらない可能性があるんですね。

松尾　最近ではマックス・テグマーク（物理学者／マサチューセッツ工科大学教授）のような人もいて、「宇宙＝数式」という主張をしています。数式の数だけ宇宙が存在するという、なんとも奇妙な考え方です。

暦本　人間が書いたり喋ったりする「言語情報」は限られているので、それをどう圧縮するかということに工夫が凝らされてきましたよね。その結果、言語の次に数式が重要な役割を果たしたんだと思います。ただし、コンピュータの場合はネットワークを介して通信するため、情報の圧縮は必須ではない。もし、コンピュータの知性が本当に人間と同等になった場合、その間の通信プロトコルは私たちとは違うかもしれませんね。超知能の存在は不思議で、わかりません。だから我々にはわからない言語で会話しだすかもしれないですね。

合田　確かに、もし宇宙の知的生命体がサイエンスを行なう場合、数学が最も優れた方法であるかどうかは疑問ですよね。

瀧口　そうですね。しかし、人間の世界では数学という存在が非常に権威ある地位を占めています。

暦本　これから何を勉強すべきかという話にもつながりますよね。機械翻訳があるから、英語は必要ないとか言われますが、それでもたぶん、国語と算数をやった方がいいんじゃないでしょうか。これらは、今後100年間は変わらないでしょうから。

瀧口　国語と算数は、究極的に言えば大事なのは両方とも〝言語〟だということですよね。

加藤　イノベーションには数学の勉強が必要であり、数学を勉強すると言語の理解が必要になるということですかね。

知の巨人たちの「最終目標」

瀧口　深い話になりましたね。では最後のテーマです。「皆さんは最終的に何を目指しているのでしょうか」です。加藤先生はいかがですか。

加藤　はい。暦本先生や合田先生が研究されている内容は、おそらく最適化の観点から生まれているると思います。しかし僕は、自分が最終的な完成品を作りたいというよりも、他の人がその道を進みたいと思った時に、その人に武器を与えることや可能性を広げることに興味があります。コンピュータの世界でいえばOSです。OS自体に価値はありません。あくまでそれを利用してワードやエクセルが動いたりインターネットを閲覧したりすることで、エンドユーザーに最終的な価値が生まれます。ですから、私が何かを達成したいという具体的な目標はゼロで、基本的には期待されていることに応えたいという思いがあります。研究テーマもコンピュータサイエンスやOSに関連しており、ベンチャーで自動運転なども取り組んでいます。それは車そのものを作りたいわけではなく、あくまでプラットフォームを作りたいという思いからです。プラットフォームが広く普及していくことで、様々な分野に影響を与えることができると考えています。だからこそ僕の研究テーマは皆さんの研究テーマと密接に関係があると感じています。

松尾　それは陽キャ的発想ですね（笑）。自分がどう役に立ちたいかよりみんなが役立ててくれればいいという考え方ですから。

加藤　そうですね（笑）。でも、それがビジネスのマーケットにおいても非常に重要だと思います。その点、陰キャの松尾先生はどうですか（笑）。

松尾　僕は、カッコよくいうと「我々はどこから来てどこに行くのか」です。それが知りたいんです。ただ、そう認識してる自分という存在は、そもそもなんなんだっていうのもあって。自分がそう思っていることの検証をしたいっていうのもあります。

瀧口　すごく哲学的ですね。それは「我思う故に我あり」みたいな話ですか。

松尾　そうですね。自分自身を持つということは、一種のアルゴリズムのようなものかもしれません。昔から感じていたのですが、私が一生かけて取り組みたいことは結局、NHKスペシャルのようなドキュメンタリー映像で1時間程度に簡潔にまとめられるのかもしれません。そのようにわかりやすい映像にまとめられていることに感動し、「すごいですね」などと感想を言ってしまうと思うのですが、それでもその1時間を作り上げるために何かをしているのだと思います。

加藤　松尾先生は、投資もされているんですよね。

松尾　はい。私はシステムを作るための方法論として投資を行なっています。アカデミアの研究だけでは成立しないということは、以前から理解していました。だから、エコシステムを作らないと勝てないと思ったんです。

加藤　自分の知的好奇心を実現するためには、投資も含まれるということですね。

瀧口　合田先生はいかがでしょうか。

合田　私は「現代には当てはまらない時代」かなと思います。

私が究極的に興味を持っているのは宇宙です。具体的には、地球外生命体の存在です。私たちの銀河には約1000億個の恒星があり、その約3分の1は惑星を持っていると言われています。つまり統計的には、銀河全体で考えると地球以外にも生命が存在する可能性が高いと考えられます。

それはおそらく、地球の生命体とまったく異なる存在ではありません。その生命体と出会うことができれば新しい世界が生まれ、私たちの視野も一気に広がることでしょう。実は、私たちが考えている以上に宇宙には生命体のネットワークが存在している可能性があります。例えば、太陽系の中にある木星の衛星「エウロパ」は非常に興味深い場所です。エウロパは厚い氷の層で覆われており、地殻では火山活動が行なわれています。さらに地下には温かい海が存在すると言われています。これは初期の地球に似ているんです。もし数キロメートルの氷を掘り進めることができれば、地球の初期の状態と非常によく似た環境に辿り着くでしょう。そのような環境では何らかの生物が存在する可能性があります。地球上でも海底で火山が活動し、その周囲にはエビやカニなどの生物が存在しています。だから、エウロパにも同様の生命体が存在する可能性は十分にあるのです。すると、もしかしたらエウロパで寿司を食べることもできるかもしれませんよね(笑)。ですから、地球外生命体が見つかったら、我々の夢がもっと広がるんじゃないかなと思っています。

瀧口　地球外生命体が見つかれば、人間のこともっとわかるようになりますね。

加藤　そうですね。ただ、太陽系には生物が存在しない可能性があります。ですから、太陽系の外の情報を知ることが必要です。現在、光よりも速い移動手段は存在しないと考えられているので、それこそ1000年生きたら何かを発見できるのかもしれませんね。

合田　一番近い、別の太陽系が約3・5光年離れているとすると、光速での往復で約7光年ですかね。

暦本　いや、すでに向こうから地球外生命体が来ている可能性もありますよ。

瀧口　では、最後に暦本先生お願いいたします。「あなたは最終的に何をしたいか」というテーマは、松尾先生がぜひ暦本先生に聞いてみたいとおっしゃっていたんです。

暦本　人間とＡＩが組み合わさると何ができるかに興味があります。能力をダウンロードできるようなもの、バイオロジカル（生物学的）に取り組むのか、身体に埋め込むのか、ＵＩ（ユーザーインターフェイス）でやるのか、方法は色々ありますが、自分が拡張できるというのはとても面白いと思っています。自分自身をハックできるということが魅力的なんですよね。私はインターフェースについて研究していますが、最終的には人間を拡張したいんです。特に最近は物理的なアプローチに興味を持っています。

瀧口　それは自分を含むということですか。

暦本　そうですね。人間を拡張するという考え方のひとつに、「サイボーグとして生きる」というアイデアがあります。手術などで自分自身を拡張するというアイデアです。例えば、ダンスパフォーマンスのセンサーを体に組み込んで身体の動きを感じることができたり、音声処理の装置を装着して様々な音を楽しむことができたりします。これによって、自分自身を拡張しながら楽しく生活することができる。そんな感じです。

加藤　これは、10年後にもう一度読み返したら面白いでしょうね。その時、一体、どうなっているのか。

松尾　データを活用し、他の年代の研究者とは異なるアプローチで研究を進めるという合田先生の研究の方法は、なんか私の研究の方向性と似ているなと感じましたね。

合田　私の好きな言葉はパブロ・ピカソの「すべての創造は破壊から生まれる」なんです。なので、私は天才よりもデストロイヤー（破壊者）になりたいと思っています。

瀧口　では、天才ではなく「デストロイヤーたちの雑談」ですね（笑）。

暦本　確かに雑談と言っているわりにはレベルが高く、各テーマを家に帰ってから考えないといけないくらいです。このような形で大学の先生方と普段あまり話すことがないので、自分のやっている研究に影響を与えるかもしれないなと感じました。どちらに進むか全然わからなかったけど、とても刺激的でした（笑）。

Part1のおわりに　司会・瀧口友里奈より

初回のセッションは、期待と不安を胸に始まりました。事前に先生方一人ずつと打ち合わせをし、テーマを抽出しました。出演者で集まっての打ち合わせは一切なし。予定調和的なトークにならないよう、本番中に一番鮮度のいい話をしていただけるように細心の注意を払いました。「どちらに進むか分からなくて刺激的、今後の自分の研究に影響を及ぼすかもしれない」という暦本先生の言葉は、まさに今回の企画の狙い通りで嬉しく感じました。さて少し裏話になってしまいましたが、本編では予想以上に先生方のSFトークが白熱し、全員がSF好きだとわかったことが興味深かったです。「SFが国力を表す」という松尾先生の言葉。SFは想像力の凝縮されたもの。想像力が国の豊かさを導くのでしょう。意思決定層のビジョンやテクノロジーに対する印象もSFやエンタメ作品の影響を受けているのだとすると、エンタメが国全体に与える影響というのは定量化されていないものの、重要だとわかります。

私の母校、横浜雙葉小学校は図書館が有名でした。図書館の名物先生が何度も繰り返していた言葉を思い出します。「一番大切なのは想像力だから、物語をたくさん読んでほしい」と。イーロンマスクの愛読書は「指輪物語」だったそうです。今回出演の先生方に好きなSF作品について伺いましたのでぜひご覧ください。ちなみに、私の好きなSFは星新一のショートショートシリーズです。

知の巨人たちのQ&A

Q. 好きなSF作品を教えてください。

A.

暦本教授　『人間以上』（シオドア・スタージョン著　矢野徹訳。ハヤカワ文庫）。人類の未来形態としての「集合人」（Homo Gestalt）。『ソラリス』（スタニスワフ・レム著　沼野充義訳。ハヤカワ文庫ＳＦ）。　知性は人間のような形態を取るのか？　同じ作家の『インヴィンシブル』もおすすめ。映画「禁断の惑星」（１９５６年公開。フレッド・Ｍ・ウィルコックス監督作）。古い作品だが究極のＢＭＩ（Brain Machine interface）社会がどうなるかという先駆的なテーマ。映画「２００１年宇宙の旅」（１９６８年公開。スタンリー・キューブリック監督作）。スマートフォンが登場したとき、「さしものクラーク・キューブリックもスマートフォンの出現は予測できなかった」という言説があったが、何と浅はかだったことか……。ChatGPTと音声会話できつつある現在（２０２３年）、あらためてこの映画の先駆性に感銘を受けます。

合田教授　主に映画やテレビドラマですが、下記の作品が好きです。Star Wars, Star Trek, Contact, E.T.,Back to the Future, Gattaca, Close Encounters of the Third Kind

江崎教授　映画『マトリックス』。

黒田教授　TVドラマ『タイムトンネル』（１９６６年～１９６７年放送。）、『宇宙家族ロビンソン』（ＴＶドラマ：１９６５年～１９６８年）、『宇宙大作戦／スタートレック』（ＴＶドラマ：１９６６年～１９６９年）。

川原教授　マンガ『Dr.STONE』（集英社　ジャンプコミックス）は子供と一緒に読んでいました。科学の知識を繋ぎ合わせ、リーダーがビジョンを示してチームワークで困難を乗り越えていく様が素敵です。

中須賀教授　小説『幼年期の終わり』『太陽系最後の日』『楽園の泉』『宇宙のランデヴー』『渇きの海』（以上すべてＡ・Ｃ・クラーク）。『星を継ぐもの』『ガニメデの優しい巨人』『未踏の蒼穹』（Ｊ・Ｐ・ホーガン）。『あなたの人生の物語』（テッド・チャン）。

戸谷教授　世代的に、やはり「機動戦士ガンダム」です。「２００１年宇宙の旅」も、中学生の頃に夢中で読みました。

新藏教授　現在は『名探偵コナン』、子供の頃は『鉄腕アトム』、若い頃は『Back to the Future』。

富田教授　『グイン・サーガ』（栗本薫）、『ゴルゴ13』（さいとう・たかを)。

Q．まったく専門外の分野からインスパイアされたり、研究のヒントをもらったりしたことはありますか？（学問以外のものでも結構です）

A．

暦本教授　あります。別分野の研究もそうですし、研究以外の分野でも。「ジャパネットたかた」の商品説明は研究プレゼンテーション的にも学ぶところが多いです。ほか、30年前になりますが、歌舞伎座で装着したイヤフォンガイドが単なる「同時通訳」ではないと知ったことが、ウェアラブルコンピュータの研究を始める契機となりました。

合田教授　よくあります。私の研究室には全く異なるバックグラウンドを持った人をよく入れます。うまく機能しないこともありますが、全く想像しない新しい概念をもたらすことも多々あります。それをもっと組織的に大規模に行っているのが、私が運営している Serendipity Lab です。http://www.serendipitylab.org/

江崎教授　たくさんあって……

黒田教授　半導体×経済学に興味があります。半導体投資がなぜ過熱するのか、その理由を欲望だけで片付けてよいか、安全弁は何か？

中須賀教授　ある。

戸谷教授　最近、中性子星の爆発現象の統計的研究（発生時刻とエネルギーのデータ空間における相関）をしていて、それが地球の地震と瓜二つであることを発見して、論文を出したところです。場所もスケールも全く異なる2つの現象に驚くべき類似性を発見して、物理学の普遍性や面白さを改めて感じているところです。

新藏教授　先週、皮膚科の学会が沖縄でありました。その時に特別講演として京大元総長の山極寿一先生がお話しされました。グローバルに生物多様性について人が考えるべきことをお話しされており、多様性には微生物も含めて考えるのだとおっしゃっていたことが印象的でした。今後のSDGsをいかに考えるべきか、ということに西洋の知と東洋の知をミックスすることが重要というお話も自分の考えに非常にヒットしました。分野がまったく異なるのに、大きな目で生物を観察されていることに感激しましたし、腸内細菌を制御するための自分の研究の方向性と一致していることも嬉しかったです。

富田教授　STEM教育。最近、小学生の研究室見学ツアーをして、子どもたちの持つパワーや可能性を改めて実感しました。また、子供の脳の持つポテンシャルに興味を持ちました。

AI

エネルギー

国家

教育

生命

宇宙

ビジネス

IT

環境

仮想空間

江崎浩×黒田忠広×川原圭博

Part2 「情報・通信」

ICTの第一人者として、国のデジタル化を主導するデジタル庁で様々な提言を行ってきたのが、江崎教授だ。黒田教授は、加藤准教授いわく「半導体のど真ん中にいる人物」であり、本座談会でもワクワクするような半導体の未来を語ってくれることとなった。一方の川原教授は、身の回りにあるわずかなエネルギーを電力に変換し活用する研究をしつつ、それを社会にどう実装するかまでを含めて見据えている人物。とある人気マンガの技術を現実に再現する研究内容の話では、場がひときわの盛り上がりを見せた。ほかにも、6G、7G、8Gと技術が上がっていくと世界はどうなるのか、未来のスマホに備わるであろう意外な機能とは、そして他企業がGAFAに勝つための方法はあるのか、など、今回もテックとビジネスにまつわる驚きの未来予測が盛りだくさん。さらには、「楽しい」という気持ちがなぜ研究にとって大切なのか、という実に原理的な話題も掘り下げられるなど、ビジネスパーソンだけでなく、これから研究を始める人の背中を押すような内容にもなっている。

瀧口友里奈（以下、瀧口） それでは、今回の参加者の皆さんをご紹介させていただきます。江崎浩先生、黒田忠広先生、川原圭博先生です。みなさん、よろしくお願いいたします。私は事前に「10年後の世界がどうなっているのか」というキーワードで皆さんお一人ずつお話させていただきました。その中で気になった発言や印象に残った言葉をトークテーマにしていただきます。最初のテーマは、黒田先生の「10年後は６Ｇが社会の主要なインフラになっている」です。黒田先生、これはどういうことなんでしょうか。

６Ｇが主要インフラになる

黒田忠広（以下、黒田） ５Ｇ[★1]が６Ｇになって、次に７Ｇに移行するというのは単に技術が進むということなんですが、ここで重要なのは〝社会インフラになる〟というところでしょうね。

社会インフラって、僕らは学校で「道路」「鉄道」「港湾」「空港」だと習いました。でも、それは20世紀が工業社会だったということだと思うんです。工業社会というのは、材料から部品を作り、それを組み立てて製品を作る社会です。事実、第二次世界大戦後、日本は工業立国となったことが経済発展に繋がった。その経済発展に必要だったのが、資源である材料を運ぶインフラ。つまり道路や鉄道でした。しかし今後は、工業社会から情報社会に変わっていきます。資源が材料からデータに変わるわけです。データをＩｏＴで集めて、ＡＩで高度に処理する。そして新しいサービスを提供する。すると必要になってくるのは、日本中どこにでも行ける舗装された道路ではなく、日本中どこにいても５Ｇ、６Ｇ、７Ｇという最先端の通信ネットワークが使えるということです。

瀧口　５Ｇといえば、「低遅延」「高速」といったキーワードで語られることが多いと思いますが、５Ｇが６Ｇになると、何がすごくなるんですか。

黒田　通信速度がもっと速くなります。ただ、大きな制約もあって〝グリーン〟でなければダメなんです。

加藤真平（以下・加藤）　〝省エネ〟でなければならない。

黒田　はい。５Ｇの実現に必要な制約は「５ワット・５リットル・５キログラム」と言われるんです。なぜかというと、まず５Ｇの電波は４Ｇに比べると遠くに飛びません。しかも、一直線にしか飛ばないので、小さな基地局を近距離にたくさん置かなければいけません。それら小さな基地局を大都市に置こうとすると「５ワット・５リットル・５キログラム」でなければいけないという制約です。皆さんも、Ｚｏｏｍなどのビデオ会議でパソコンが重たくなると「ウィーン」という風の音が聞こえてくることがありませんか。あれは風でパソコンを冷やしている音です。消費電力が高くなるとパソコンから熱が出るので、その熱を取り除くためにファンを回しているん

★１「５Ｇ」「第5世代移動通信システム」。４Ｇ（第4世代移動通信システム）で提供してきたサービスをさらに高速・大容量化させ、さらに多数同時接続、超低遅延を実現させた。５Ｇの通信最高速度は、１秒あたり1～10ギガバイトに達するといわれている。

です。そのファンは5ワットを超えると回るようになっています。都会の至る所でそのファンが回ってしまうと、ホコリを吸い込んだりして壊れてしまい、メンテナンスが大変になってしまうので、5ワット以内にしないといけないんです。

瀧口　5リットル・5キログラムの意味はなんでしょうか。

黒田　5リットル・5キログラムよりも大きな基地局は、設置コストが高くなるんですよ。

加藤　昔は大きな基地局に大きなパソコンを置いていたんですが、最近は分散化が始まって、小さく軽くしようということになっているんですよね。

江崎浩（以下、江崎）　今はたくさんの計算をしなくてはいけないんですよ。パソコンだけでなく、脳ミソもたくさん使うと熱くなるじゃないですか。

瀧口　知恵熱ですね（笑）。

江崎　そう。だから、できるだけ小さくしておきたいんです。

瀧口　熱を冷やすのにすごくたくさんのエネルギーを使うので、それをいかに抑えるかということですね。

黒田　今、コンピュータがどれくらい熱を出しているかというと、家で肉などを調理するホットプレートってあるじゃないですか。あのホットプレートの10倍ほどの熱が出ているんです。

加藤　ファンで冷やしてるからそんなに熱くないように感じますけど、コンピュータの熱って、普通に目玉焼きが焼けちゃうくらいですからね。

江崎　そうですね。空気でも冷やせなくなると、今度は水で冷やします。

黒田　ですから最近は、データセンターを海中に沈めているんですよ。身近な例だと、発熱を極限まで抑えてファンが回らないようにしているのがスマートフォンです。そんなスマホに求められているのが、性能をもっと上げて、かつ電力を使わないようにする技術です。なので、5G、6Gの世界は最先端の半導体技術が必要になります。

瀧口　省エネという観点からいうと、エネルギー効率をいかに上げるかというのもポイントですよね。

黒田　そうですね。これは日本だけではなく、世界中がコミットしたアジェンダができています。そうしないと、地球環境はもう元に戻れないという議論が非常に盛んに行なわれています。では、その電力消費は誰がどこで使っているのかというと、今の情報社会を支える電子機器ですよね。そのため電力消費は今、加速度的に増えていて、10年後には約2倍になると言われています。そして、何もしないで放置しておくと2050年には約200倍になると予想されています。

瀧口　6Gになると、世界はどう変わっていくのでしょうか。

江崎　5Gが「インフラの入口」に来ているというイメージで、6Gになると「きちんとしたインフラ」になります。そして、もうひとつ変わりそうなのが、〝宇宙〟です。今、電波は「下を向いて歩いている（基地局が地上にある）」んですが、6Gになると「上を向いて歩こう（宇宙にある）」になる。宇宙に打ち上げた低軌道の衛星を使ってインフラを作るようになる。

黒田　GPSの電波はもう空から降りてきていますよね。それで自分の位置情報を確認している。

加藤　確かに、通信は宇宙の衛星を使ったほうが速いという話もありますね。

江崎　そうなんです。ガラスやプラスチックでできていて通信速度が速いと言われている「光ファイバー」[★2]でさえも、その速度は光の半分くらいです。でも、宇宙の真空であれば光の速度で進めるので、光ファイバーの倍の速さになります。だから地上のケーブルを使うよりも、衛星を使ったほうが速いんです。

瀧口　宇宙を経由して情報を伝えると。

江崎　そうです。イーロン・マスクも今、衛星通信サービスの「Starlink（スターリンク）」[★3]を進めています。

瀧口　ここでも、イーロン・マスクの名前が出てくるんですね。

加藤　ちなみに、空の利用は〝早い者勝ち〟ということになるんですか。

黒田　そのあたりは、国際的なルール作りが必要です。

江崎　宇宙空間は、まだ国としての概念がないんです。実は、南極や北極もそうなんですよ。北極は今、地球が温かくなっているので、海底ケーブルが簡単に敷けるようになりました。そのため、地球規模のインフラが整えやすくなっているんです。ものすごい革命が起こりますね。

瀧口　温暖化の裏でそんなことが起こっていたんですね。川原先生は6Gの世界をどうお考えですか。

川原圭博（以下、川原）　加藤先生の専門分野ですが、車がインターネットに繋がって色々な情報を取り込めるようになると思います。

黒田　しかし、「上を向いて歩こう」はいいですね。空からメッセージが届くというちょっと楽しい感覚があります。

7G、さらには8Gの世界へ！

瀧口　ここまでは6Gのお話でしたが、7G、8Gはどんな世界になるのでしょうか。

江崎　効率化がさらに進みます。今、パソコンなどで使われている半導体[★4]は、電子が摩擦を出しながら地面を走っているような状態です。ところが光子（フォトン）を使うと地面ではなく空中を飛んでいきます。すると、摩擦がなく熱も出ないのですごく効率的になる。これをコンピューティング（計算）に利用するチャレンジが今されていて、おそらく7G、8Gの世界で現実化するんじゃないでしょうか。

黒田　確かに電子の気持ちになると、光子という強敵が現れたって感じなんでしょうけども、い

★2［光ファイバー］光を離れた場所に伝えるために作られた、細い繊維状の伝送路。透明度が高いガラスや高性能のプラスチックでできている。光ファイバーは電磁波の影響を受けにくいため、長距離の場所にも高速で情報を送ることができる。

★3［Starlink（スターリンク）］米国の宇宙開発企業「スペースX」が運用している衛星インターネットコンステレーション（人工衛星群）。現在、3000基以上の人工衛星が打ち上げられていて、世界中のほぼ全域からインターネットへのアクセスを可能にしている。

★4［半導体］電気をよく通す金属などの「導体」と、電気をほとんど通さないゴムなどの「絶縁体」の中間の性質を持つシリコンなどの物質のこと。また、トランジスタやトランジスタなどの回路が集まったIC（集積回路）を総称して、半導体と呼ぶこともある。

かに摩擦を少なくして、エネルギーを無駄にしないかというのは、すごく重要なんです。それを果たす新材料の研究が今、盛んに行なわれています。

加藤　今の半導体の材料はシリコン（ケイ素）[★5]ですよね。シリコンっていつ頃まで使われるんですかね。

黒田　私はかなり先まで使われると思っています。一方で、シリコンに代わるものもたくさん出てきていますよね。例えば、1ボルトくらいをオン・オフさせるにはシリコンがいいんですけど、100ボルトをオン・オフさせたいと思うと、シリコンとは違う材料を使った方が適切です。

加藤　「次世代のパワー半導体には、酸化ガリウムがいい」といった話を江崎先生から聞いたことがありますが、そのあたりはどうなんでしょう。

江崎　はい。今、国の政策でもガリウム系[★6]のものが注目されていて、窒素を使った「窒素とガリウム」というのが今の主流になっています。中でもコンピュータのように数ボルトではなく、何万ボルトといった大きな電圧がかかる半導体は、だいたいがシリコンからガリウムに代わっていますね。それから「酸化ガリウム」も注目されています。これはもともと酸化しているので、それ以上劣化しません。ですから、今、世界中で開発競争が行なわれている新しい材料です。

瀧口　新しい素材がキーポイントとなるんですね。その酸化ガリウムの原料となるものはどこにあるんですか。その原料を押さえた国が強いわけですよね。

江崎　それを狙っているのが中国です。日本も国をあげて、かなり戦略的にガリウム探索をやろうとしています（ガリウムは単体では存在せず、鉱石中で他の元素と共存。中国が世界シェア1位）。

黒田　逆に言うと、シリコンは地球上にたくさんあるんです。みんなが使える材料で、取り合いの心配がない。だから広く使われている。

加藤　シリコンと言えば、シリコンバレー（米国カリフォルニア州サンフランシスコ南部のサンタクララバレー）って、なんでそう呼ばれているんでしたっけ。

黒田　あの地域でシリコンにまつわる技術と産業が半世紀にわたって発展してきたからです。

瀧口　じゃあ、今後は「酸化ガリウムバレー」と呼ばれる地域が出てきたりするんですかね（笑）。

川原　「酸化ガリウムバレー」は、ちょっと長いな（笑）。

黒田　シリコンバレーって、シリコンが採れる場所じゃなくて、シリコンを使った知恵が出せる場所ということですよね。だから酸化ガリウムバレーも同じ意味合いでないと（笑）。もし取れる場所という意味になると、海底だから「酸化ガリウム海溝」とかそういう名前になるんじゃないですか。

江崎　でも、そういう面白い人たちが集まってビジネスなどが発展した結果「シリコンバレー」と呼ばれるようになっていったのは面白いですよね。

川原　そのように、場所に名前がつくということは大事ですよね。今はＡＩのスタートアップ企

★５［シリコン（ケイ素）］シリコンは、地球上で酸素の次に多い元素（元素記号はSi）。土や岩石、水、植物などに含まれている。パソコンやスマホなどに使われている半導体は、超高純度で単結晶構造なシリコンを素材として作られている。

★６［ガリウム系］アルミの原料となるボーキサイトから微量に抽出される。青みを帯びた柔らかい金属で、アルミニウムに似た性質がある（元素記号はGa）。現在、塩化ガリウムやガリウムヒ素、窒化ガリウムなどが半導体の材料として使われている。

業が東京大学のある本郷周辺に集まってきて〝本郷バレー〟とも呼ばれていますよね。面白い人たちが集まって来た影響で、保守的な雰囲気が変わった印象を受けます。

加藤 確かに、それは感じます。

瀧口 私も東大に関わっていると、本郷がどんどん社会に開かれてきていると感じます。HONGO AI（社会の本質的課題に挑戦する技術系ベンチャーを主役としたスタートアップピッチイベント。東京大学を中心として行われている）で司会を務めさせていただいた時も、そう感じました。川原先生は産学連携に色々な面で関わっていらっしゃいますよね。

川原 はい。もともと学生の頃から渋谷のベンチャー企業でアルバイトをしていて、現在の色々なSNS企業の経営者の方々と知り合いました。当時の昼の大学の雰囲気と、夜の渋谷のバイトしている会社の雰囲気は全然違っていて、このまま永遠に混ざることはないんじゃないかなと思っていたんですが、10年くらい前からだいぶ混ざってきているような気がします。

まるで魔法？　空中からエネルギーをとってくる技術

加藤 川原先生のやられている研究って、具体的にはどのようなものなんですか。

川原 私がやっているのは、ひとつは「エナジーハーベスティング（環境発電）」です。先ほど熱の話がありましたけれど、熱や太陽光、あるいは空中を飛んでいる電波などを捕まえてシリコンのデバイスを動かそうということです。

江崎 空中からエネルギーをとってくる技術ですよね。

瀧口 そんな魔法みたいなことができるんですか。

黒田 できますよ。街に明かりはたくさんあるし、電波もそこらへんにたくさん飛んでいますから。

加藤 どうやって電気を取り出すんですか。

川原 私が対象にしているのは、テレビの電波です。東京タワーから出ている電波を捕まえて、それを直流に変換して使います。

加藤 テレビの電波だったら、基本的には日本全国どこでも捕まえられますよね。あれで何ワットくらいなんですか。

川原 0・1ミリワットです。

瀧口 そのように、空中からエネルギーをとってきて動く回路が今後できてくるんですか。

川原 実はもう10年くらい前に実証済みなんです。ただ、まだ世の中で広く使われてはいません。

加藤 0・1ミリワットでどれくらいのことができるんですか。

川原 そこは使い方次第です。というのも、ずっと動いている必要のないものってありますよね。例えば、気温の測定です。気温って1分や2分では変わらないですよね。だから5分おきに100分の1秒ぐらい立ち上げて温度を測って、それを基地局に報告する。そういうことだけなら、平均して0・1ミリワットくらいだと思います。

黒田　私たちの脳は、だいたい20ワットの電力を消費すると言われるんですよ。ざっくりいうと、その10万分の1くらいですよね。でも、私たちも脳をそんなにずっと使っていませんから。しょっちゅうボーっとしていますよね。

川原　ちなみに、研究を始めて最初のころは「お前は東京スカイツリーとか東京タワーから電気を盗んでるのか」って、よく言われました（笑）。

黒田　いやいや、無駄に流れてるのを再利用してるだけでしょ。

川原　そうなんです。放っておいたら熱に変わって、そのまま宇宙に行っていたものをありがたく使わせてもらっているだけなんですけどね。

江崎　これこそＳＤＧｓですよ。

加藤　具体的には、どんな回路を作ったんですか。

川原　「整流回路[★7]」と呼ばれるものです。電波ってプラスとマイナスを行ったり来たりしているんですけど、ある半導体を使うと全部プラスの方に変換できるんです。で、そうやって電波を貯めると電池みたいになります。

加藤　それで、どれぐらいのものができるんですか。

川原　いわゆる「ＩｏＴデバイス[★8]」などですね。先ほど少し触れたように、温度や加速度などの測定をして報告するくらいならいけます。

瀧口　先ほど「知恵熱」っていう話がありましたけれども、人間が考えている時に発している熱を電力に変換して有効活用することもできるんですか。

川原　できますよ。20年ぐらい前に、体温と外気の気温差で発電する腕時計がありました。ただ、今は使われていないみたいです。

瀧口　なぜ使われなくなったんですか。

川原　温度差を作るのが難しかったみたいです。人間の体温は36℃程度ですが、夏だったら外気と体温が近い温度になるので、温度差がなくなって動かなくなったりしたみたいです。

瀧口　安定的に動かすのが難しかったんですね。でも、あらゆるものをエネルギーに変換しようとしているのは面白いですね。

スマホの充電が不要になる！

瀧口　続いては、川原先生の考える10年後の世界についてです。「10年後、スマホの充電は不要になる」。これはものすごく便利な感じがしますが、どういうことなんでしょうか。

★7［整流回路］交流電気を直流電気にする電気回路のこと。家庭や工場などには交流電気が送られていることが多いが、家庭や工場で使用する電気機器は直流駆動が多いため、整流回路が必要となる。
★8［IoTデバイス］インターネットなどに接続されていて、パソコンやスマホ、タブレットなどでリモート操作ができる家電などのこと。「モノのインターネット」のモノにあたる部分。

川原　人々がよりいい機能を求めるたびに、消費電力はどんどん上がっていきます。例えば、20年ぐらい前に携帯電話を使っていた人はわかると思うんですが、ほぼ音声通話だけをしていた当時のモデルは、1週間くらい充電しなくても使えたんです。それが今はスマホになって、機能が上がった一方、毎日充電しなければいけない。その意味で一部逆行しているんですよね。それというのも、すべて消費電力が大きいからです。そのため「無線給電」が注目されています。電波を使った充電が盛んに研究されているんです。

瀧口　その無線給電は、川原先生も研究されているんですか。

川原　はい。私は無線給電を10年くらい研究していました。今もスマホには無線給電用コイルが入っているので、充電パッドに置いておくと充電ができるんです。ただ、置く場所がちょっとずれただけで充電できなくなるんですよ。

瀧口　そんなに厳密な扱いが必要なんですね。

江崎　今は、そのズレを上手に合わせる技術もできましたよね。それに軍事用レーダ技術を転用すると、動き回っていてもトレーシングして給電することができる。

黒田　ということはこの先、スマホをポケットの中に入れて、街を歩いている間に充電されているという状態になっていくわけですよね。ラーメンを食べている間に充電、とか。

瀧口　それは、どこのエネルギーを使って充電されるんですか。現在のように有線の充電であれば「あ、ここからここにエネルギーが入っているな」ってわかりますけど。

川原　壁のコンセントから給電するみたいに、アンテナから電波が出ているイメージですかね。

瀧口 なるほど。私、充電がすごくストレスなんですよね。朝起きて充電ができていなかった時はすごくショックですし。

加藤 ちなみに、歩いているだけではエネルギー変換効率が悪いんですか。

川原 そうですね。歩行時の上下振動で充電する方法もあるにはあるんです。ただ、そこはトレードオフ（何かを得たら何かを捨てる）で、発電しながら歩くと、普通に歩行するより疲れます。結局、エネルギーは人が動いて出さなければいけないわけですから。

黒田 これは「できるだけ早く充電を終えたい」か、「そのうち充電できていたらいいや」という状況かで違いますよね。後者だったら、飛びかっている無駄な電波のエネルギーを集めて、じわじわと充電するというのもありだと思います。あと、加藤先生の専門分野だと、車が道路を走りながら充電するというのは、ある地域ではもう現実に始まっていますよね。

自動運転車が住所の概念を変える未来

加藤 はい。走りながらＥＶ充電をする車の開発は進んでいます。

黒田 10年後には自動給電も当たり前になってるんじゃないですか。車もスマホも、外で時間をつぶしているうちに充電されているという。

加藤　車が充電できるようになっていたら、ほぼすべてのものが自動給電できるでしょうね。

江崎　そうですね。車のエネルギーってめちゃくちゃ大きいですからね。

黒田　エネルギーそのものを運んでいるようなものですよ。

加藤　40kWくらいありますもんね。

黒田　そのためには、車が走る道路に給電のための仕掛けをしなければいけませんよね。色々と条件があるでしょうけど。

江崎　車って、タイヤなんていう摩擦の塊のようなもので重たい車体を支えて、かつ猛スピードで道路を走るから、ものすごいエネルギーが必要になるんです。だから、10年後にはそんな下品なものでは走らずに（笑）、人間の足みたいな機能で移動するようになるんじゃないですかね。

瀧口　タイヤでなく人間のように走ったほうがエネルギー効率が上がる、ということなんですか。

江崎　上がります。そのほうが摩擦がないので。

黒田　あと、自動運転によって衝突事故を起こさない車が作れれば、あんなにがっしりした鉄でドライバーを囲む必要もなくなるんじゃないでしょうか。

加藤　それはよく言われています。プラスチックカー[★9]とかですよね。

黒田　そうするともっと軽くなるでしょうし、あの頑丈な鉄を作る時に、たくさん出ているCO_2も出なくなりますよね。

江崎　それから、自動運転にするとブレーキを踏まなくてもよくなりますよね。ブレーキって摩擦熱でものすごく無駄なエネルギーを生むじゃないですか。かつ、一番エネルギーを使うのはそこから加速する時です。だから加速の必要がなくなれば、エネルギー効率がめちゃくちゃ上がって燃費もよくなります。

加藤 そうですね。ちょっとテーマとは外れますが、自動運転は「車」という形じゃなくてもいいんじゃないかと思っています。EVは車の中に電気があるので、スマホも充電できるし、音楽も聞ける。マイクロバスぐらいの大きさなら睡眠をとることも十分可能です。事実、マイクロバスはひとり暮らしの家ぐらいの広さはあると思うんですよ。だからEVの発展によって、ひとり暮らしの家が必要なくなったらイノベーションですよね。

瀧口 移動するための車じゃなく、住むための車。

加藤 家が動いたら、よくないですか。

黒田 空を飛んだりしても楽しいですよね。

江崎 それは、すでにイーロン・マスクが考えているみたいです。僕も考えたんですけど、車に住んで移動できたら、そもそも土地を買わなくてもいいんじゃないですかね。

瀧口 確かに。そうなると、土地の価値ってなんだろうという疑問が出てきますよね。その概念も変わるかもしれないですね。

黒田 電話が固定電話から携帯電話に変わったように、住所も固定の住所ではなくなる。そうなれば、宅配便も僕たちがいる場所を追っかけてきてくれるようになると思います。

瀧口 それはすごいですね。確かに固定した場所に住まなければいけないという概念が変わって

★9 「プラスチックカー」 省エネや軽量化のためにプラスチックを使って作られている車。フロントバンパーやリアバンパーなどに耐衝撃性の強いプラスチックが使われることが多い。

くるかもしれません。

江崎　ところで、毎日触っているスマホのディスプレイ画面もなくなるかもしれませんよね。車を運転している人は画面を見られないから、音で指示を出すようになる。今のスマホはたまたま目と指を使っているけれども、これも変わるはずです。

黒田　SF映画を見るとそうなっていますよね。人は地上に住んでいなくて、空の高いところに住んでいる。そして、何もない空間に画面が現れて、普通に誰かと話したりしている。

江崎　例えば、体が動かなくなってしまった方が、目を使って会話をすることができるじゃないですか。

瀧口　目で文字を追うことで意思を伝達するというデバイスがありますね。

江崎　そう。そのように色々なデバイスを使えるようになると、制約がどんどん変わってくる。

川原　またイーロン・マスクの話になりますけど、彼は頭に電極を刺して、人とコンピュータを繋げようとしていますよね。

瀧口　人と人がコンピュータを介して意思疎通できるようになるということですよね。「思っただけ」で意思疎通できる世界がやってくると。

江崎　これはどういうことかというと、マイクロマシーン化しているということです。20年くらい前だとまだ写真屋さんがあって、そこに行って写真を印刷してもらっていた。でも今では、皆さんの家にあるプリンターを使えば、すぐ印刷してくれますよね。実はコンピュータも同じで、コンピュータって、40年くらい昔は学校の教室くらいの大きさだったんです。だから動かせなかった。

瀧口　携帯電話もそうですよね。昔のテレビドラマに出てくるのは、肩からかけたバッグみたいな大きさですもんね。

江崎　そうですね。今のスマホなんて、本当に必要なものだけを集約したら指先くらいのサイズになるんですよ。バッテリーとディスプレイがあるから、あの大きさなんです。

究極の小型化がもたらすもの

黒田　だから、ディスプレイがなくなって、バッテリーが無線給電になったら、本当に小さくなるんです。そうするとポケットに入れる必要すらなくなる。

瀧口　メガネに搭載したり。でも、小さくなりすぎると置き忘れちゃいそうですよね。

黒田　きっと話しかければ、どこにあるか答えてくれますよ。

川原　体の中に埋め込んで使うという方向性もありますよね。一方で、やはり手に持ってディスプレイを見るということに安心感を覚える部分もありますから、今のスマホの形ももう少し残るんじゃないでしょうか。

加藤　まあ、二つ折りになるくらいですかね。

江崎　腕時計タイプもありですよね。ですから、川原先生に頑張ってもらって、どこにいても充電できるようにしてもらいたいですね。

黒田　コンピュータって、もともとはすごく大きかったものが机の上に乗るくらいの大きさのパーソナルなものになった。その後、インターネットに繋がって急速に便利になり、無線技術が登場すると持ち運べるようになった。すると、今度は歩きながら仮想空間にアクセスできるようになりましたよね。そこからさらに、川原先生が無線給電を開発してくれるようになると、もっと使い勝手がよくなるわけです。それを全部繋げると、次はどんな仕事ができるのか、という方向で社会が発展していくんじゃないですかね。

加藤　10年後くらいだと、現実的に何ワットぐらいまで充電できそうなんでしょうか。スマホは数ワットだからなんとかなりそうな気がしますが、パソコンは30ワットくらい必要ですし、車だと数千ワット必要ですよね。

川原　情報処理系の端末であれば、使用するワット数をもう少し下げられるかもしれないので、スマホやパソコンなどは可能性があります。ただ、物を動かすくらいのエネルギーとなるとまだ難しいかもしれません。

黒田　さっきデータは宇宙から飛んでくるって言っていましたけど、エネルギーも宇宙からとれるんですよね。

江崎　はい。宇宙は空気がないので、エネルギー効率はすごくいいんです。宇宙空間でエネルギーをとって、それをマイクロ波で送ることはできると思います。

川原　地上での太陽光は曇ると発電効率が悪くなりますが、宇宙には雲がないので、毎日晴れています。だから効率がいいんですよね。

江崎　これって、地球全体でエネルギーをどうするかという話ですよね。そして「そもそも物を物理的に持って動かす、っていう下品なことをやめられるんじゃない?」という発想から生まれたのがデジタルなんです。そのように物を情報という形に変えることで、そもそもモノが物理的なモノじゃなくていいよね、ってことを皆が気づき始めていて。将来的には物流の形態が根本から変わるはずです。だからこそ、持ち歩いているデバイスのエネルギーをどう確保するかということが重要になってきます。

瀧口　宇宙からエネルギーがとれるのであれば、本当にエコだと考えていいですよね。そういう世界が本当に来るのでしょうか。

川原　そういうプロジェクトはもう何十年も前から始まっていて、今は発電したエネルギーをマイクロ波で送ることまでは実現できています。ただ、マイクロ波をやみくもに飛ばすと危ないので、曲げて狙った場所に向けて発射する技術が必要なんです。その曲げる技術は日本では成功していて、現在はマイクロ波を上空数キロの地点から飛ばせるのかを実験しています。

加藤　それは衛星に発電機みたいなものを載せて、宇宙で電気を溜め、地上にマイクロ波で飛ばすということですか。

川原　そうです。海の上などに受電設備を置いてそこに送ります。

江崎　だから将来、加藤先生がつくる自動運転の車は、バッテリーを積んでいないと思いますよ。

宇宙から電気をもらうから。

瀧口　将来的にはその場で自分仕様の車を作れる世界になるかもしれませんね。

江崎　運動のために自転車を漕いだら、そのエネルギーを隣にあるコンピュータが使ってくれた、みたいなことがありうるかもしれない（笑）。

瀧口　星新一の世界観ですね。

川原　でも実際、ジムでバイクを漕ぐと消費カロリーが表示されたりするじゃないですか。あれを見るたびに「このカロリーを持って帰って、別の用途に利用したいな」と思ってしまいます（笑）。

加藤　無線給電設備のその他の使い道として、インフラがありますよね。再生可能エネルギーだけではなく、それ以外のエネルギーも使えた方がいいですし。それに、数千ワットの充電ができるような設備が道路にあったら、結構いろんなことができると思います。

川原　実は、無線給電は１００％の効率ではないので、エコと反する部分もあるんですよ。ですから「どうしても有線でつなぐのが大変だ」とか「勝手に電池がなくなると困る」という環境から優先的に設置されていくと思います。

黒田　昔から、人が戦争をする理由はエネルギーの取り合いでした。また、イノベーションを起こす理由もエネルギーの利用の仕方だったり効率を上げることだったりしますよね。人類を歴史の観点で見ると「エネルギーをどうするか」ということが一番重要です。ですから、10年後も20年後も、自然とその方向に技術や社会の形が変わっていくと思います。

ひとりひとりが「俺の半導体チップ」を持つようになる

瀧口　エネルギーの話になってきましたので、続いてのテーマにいきたいと思います。黒田先生の「俺の半導体チップができる」[★10]です。これは、すごくエネルギー効率がいいものだと伺っていますが、詳しく教えていただけますか。

黒田　以前、サンフランシスコで学会があったときに、加藤先生と近くのワインバーに行ったんですよ。そこで加藤先生が「自動運転のソフトウェアを研究している」と言うから、こう返したんです。「アラン・ケイ[★11]が『ソフトウェアに本気で取り組むなら、独自のハードウェアが欲しくなる』と言っていたじゃないか。そろそろ、自分だけのチップが欲しくない？」。

それが、このテーマのキーワードです。10年後かどうかわかりませんが、将来「俺のチップ欲しくない？」という会話がされているんじゃないかと思ったんです。

瀧口　〝俺のチップ〟って、面白いですね。

★10［半導体チップ］パッケージされた半導体集積回路の総称。

★11［アラン・ケイ］アラン・カーティス・ケイ（Alan Curtis Kay）。アメリカの計算機科学者。１９４０年生まれ。パーソナルコンピュータの父と呼ばれている。大型のコンピュータが全盛の時代（１９６０年代）に個人向けの「パーソナルコンピュータ」という概念を提唱した人物。

黒田　「俺のチップって何?」と思いますよね。ですから少し説明をすると、例えば、お父さんが息子に「この前、電気工作でチップを作ったんだよ。それで、お前の家庭教師ロボットとして川原先生をインストールしておいたから」と言うと、息子は「えー、すごいじゃん。トランジスタ[★12]どれくらい使ったの?」「川原先生の脳は複雑だったから、トランジスタ1兆個くらい使ったけど、1万円くらいでできたかなあ」「そのチップ、いつ届くの?」「来週くらいかなあ……」みたいな話をする未来が来るんじゃないかと思っているんです。それで送られてきたチップを家庭教師ロボットに挿すと、家庭教師ロボットが川原先生になる。あるいは、銀座の寿司職人と広尾のフレンチの達人の技のチップを自動料理器に挿すと、フレンチ風のお寿司ができるとか。ですから、「俺のチップ」とは何かというと、究極的にはみんなが自分の専用半導体を作り、使い出すということ。そうすると、いろんな掛け算が生まれて大きなイノベーションが起こるはずなんです。これを私は「半導体の民主化運動」と呼んでいます。

瀧口　どうしてこの「俺の半導体チップ」が必要になるんでしょうか。

黒田　例えば自動運転をしたいとします。その場合、一般的なソフトウェアで作ったソリューションは、エネルギーを使いすぎるんです。一方で自分専用のチップを作ると、おそらくエネルギー消費がその100分の1程度になる。どういうことかというと、現在のパソコンやスマホのアプリは、誰がどんな目的でも使えるように作られているんです。そのぶん「ある人にとっては必要でも、別の人にとっては不必要」といった回路がたくさん入ってしまう。これまでに作ったいろんなソフトウェアをすべて使えるように設計すると、どうしてもそうなってしまう。それで動きが悪くなるんです。それに対して、自分が本当にやりたいことがはっきりわかっていて「これだけやりたいんだ」「これ以外のことはやらなくてもいいんだ」と割り切れれば、そのチップはものすごく効率よく動きます。たぶん100分の1くらいのエネルギーで十分だと思いますよ。

瀧口 そのような、自分仕様の半導体をそれぞれの人が作れるということですか。

黒田 そうですね。規格や大量生産はもう必要なくなります。自分の人生をもう少し豊かにしようと思ったら、何か自分だけに特化したものが欲しくなりますよね。しかし全体としては、エコでないといけない。だから、〝グリーン〟でありながら自分だけの何かを追求するようになる。

瀧口 自分仕様の半導体が作れる時代になってきた背景を教えていただけますか。

江崎 昔は、半導体を作るには印刷版という設計図をまず作らなければいけなかったんです。そして、それがめちゃくちゃ高価だった。でも、今はそんなことなくて、電子をピュッと飛ばすだけで半導体ができるようになった。そして、その操作もプログラムを入れるだけで完了するようになった。製造方法がかんたんになったんです。

黒田 江崎先生が今言われた、チップを作るための板の原型の設計・製造には100億円もかかります。これだと、最初の話にあった「川原先生の脳を再現した家庭教師を1万円で」という予算は成立しない。でも、今はちょっとしたプログラムで電子が勝手に作ってくれる。だから将来、1万円でできる可能性があるんです。

★12 「トランジスタ」 電気の流れをコントロールする電子回路。電気信号を増幅する機能と、電気を流したり止めたりする機能がある。トランジスタは当初、半導体物質のゲルマニウムで作られていたが、現在はほとんどがシリコンで作られている。

江崎　今はその中間のところにいますね。

黒田　トランジスタを並べたり配線したりすることに気を取られていたら、1兆個のトランジスタを集積したチップは一生かかっても終わらないかもしれない。それもコンピュータを使ってサッとできるようになるのが、10年後くらいかなと思ったんです。

瀧口　たった10年でそんな世界が来るんですね。

黒田　テクノロジーは指数関数[★13]で成長していきます。私たちの感覚だと、去年から今年までの成長が同じような伸び率で来年も続くと思ってしまいますが、テクノロジーは新しい技術が現れたら、ものすごい右肩上がりで伸びます。その感覚で予想すると、30年かかると思ったものが10年以内でできたりするんです。

加藤　スマホなんか2、3年で普及しましたもんね。

江崎　今の若い世代の人たちは、普通にプログラミングできる人が多いですよね。でも、その前の世代はプログラミングできる人は少なかった。たぶん、次の世代の人たちは半導体を自分で作る時代になっているはずです。

川原　僕も2、3年前にあるプロジェクトのために〝俺のチップ〟を研究所で作ったことがあるんです。そのプロジェクトでは、数ミリくらいの粒を空中に浮かせて、蛍みたいに光って飛び回るものを作りたかったんですね。飛び回らせるためには、ものすごく軽くなければいけないんですけど、そのためのチップは売っていなかった。そこで、性能はそこそこでいいのだけれど、とにかく軽くて小さいチップを自分で作るしかなかったんです。

「俺のチップ」がGAFAを打ち破る日

黒田 こうやってイノベーションが起こるんですよ。仮に半導体を設計できるのが、GAFAのように100億円をすぐ出せる組織だけだったら、今のような発想は出てこないんです。もっと誰でも作れるようにすると、変わった人が変わった発想をしていろんなことをやり始めるんです。

瀧口 ということは、GAFAは今すごく強いですけれども、「俺のチップ」ができるようになれば、その勢力図は……。

黒田 変わると思いますね。

加藤 勢力図ということでいえば、日本って、もともと半導体が強かったですよね。あれは、どういうことだったんでしょうか。

黒田 それは、日本が工業立国として品質の高いモノづくりでは勝ったけれども、結局は大量生産に必要な資本競争で負けたということでしょうね。

加藤 今、日本は半導体の製造はダメでも、設計ができる人は結構いるじゃないですか。「俺のチップが作れる」日が来たとして、日本はどうなると思いますか。

＊13 [指数関数]「$y=a^x$」で表すxの関数（aは正の値の実数で1ではない）のこと。xが増えるとyは爆発的に増えていく。そのため、急激に増えることを「指数関数的に増えていく」と表現することがある。

江崎　結局、それにチャレンジするかどうかということですよね。チャレンジには当然リスクがあるわけですから「リスク取ってやりますか」ということです。その前に黒田先生がおっしゃった「資本競争で負けた」というお話は、当時、リスクを取らずに大量生産で勝てるところにリソースを集中しすぎたということだと思います。本当の伸び筋はＣＰＵ[★14]やＧＰＵ[★15]だったけれども、そこには投資しなかった。安全な経営をしようとすれば、一番儲かっているところにいきますからね。そういう投資を今後、企業がしてくれるかどうかです。

「ホイポイカプセル」は作ることができる

瀧口　続いて川原先生が挙げられたテーマ「〝ホイポイカプセル〟は作ることができる」について伺っていきます。川原先生はホイポイカプセルを作っているということですか。

川原　はい。30歳以上の人しかわからないかもしれませんが、『ドラゴンボール』[★16]という作品の中で、ポーンと投げると乗り物になったり、家になったりするカプセルがあるんです。それに近いものを今作っています。例えば、空気を入れるような柔らかい材料を使って、強度を保った構造を作る。そして、それにモーターをつければ乗り物になるんです。車は鉄で作るのが常識かもしれませんが、柔らかくて、ぶつかったらへこんでくれるようなもの。人に当たっても怪我をしないようなものが作れると、街中で歩行者と一緒に走っていても危険は少なくなりますよね。

加藤 それは、畳むとどれくらいの大きさになるんですか。

川原 市販のリュックサックに入るぐらいの大きさになります。素材も軽くて強いものとか、瞬時に力を出せるものなどがあるんですが、実はそれらは市販のもので、別の用途に使われているものを流用しています。その意味では、すぐに実用化できると思います。

瀧口 それらの素材は、本来どんなものに使われているんですか。

川原 例えば、空気を入れると板状になるような素材です。これは体育のマットなどで使われています。あとは、カヌーやサップ（スタンドアップパドル）などに使われている素材です。

江崎 人工衛星のパラボラアンテナ[★17]なども、打ち上げるときは折り畳んであって、宇宙空間に行ってから広げて展開するんですよね。

黒田 日本では、その折り畳み方がたくさん考案されてきたみたいですね。

★14「CPU（中央演算処理装置）」「Central Processing Unit」の略で中央演算処理装置という意味。CPUはパソコンの処理の中心的な役割を担っていて、様々なデータはCPUを通して制御・計算が行なわれている。「プロセッサ」とも呼ばれる。

★15「GPU（画像処理に特化した処理装置）」「Graphics Processing Unit」の略で画像処理に特化した処理装置のこと。3Dなどの画像を描写するときに必要な計算をするチップのこと。GPUが画像処理をすることで、CPUはその他の処理を素早く行なえる。

★16「ドラゴンボール」 1984年から1995年まで「週刊少年ジャンプ」に連載されていた鳥山明の大ヒット漫画。「ホイポイカプセル」は、手のひらサイズのカプセルを地面に向かって投げると中からさまざまな物品が飛び出すというアイテムで、これにより大きな住居すらかんたんに持ち運びができる、とされている。

★17「パラボラアンテナ」「パラボラ」とは「放物面」という意味で、中華鍋やお椀をひっくり返したような放物面反射器を持つアンテナのこと。一般的には衛星放送の電波など、短い周波数の電波を受信するために使われる。

川原　そうですね。折り紙のような折り畳み技術と、最初にお話ししたプリンターで作る回路はとても相性がいいんです。電子回路や太陽光パネルなどもプリンターで作れるので、二次元で作ったものを折り紙のように折って三次元にして使うというのが、今、ホットな研究分野です。

黒田　つまり「車のボディーは鉄でなくてはいけない」と思っていると、もうそれ以上の発展は見込めない。でも「柔らかくてもいいじゃないか」と思うと新しいアイデアが生まれてくる。そして「その最適な素材が体育館にあった」というのは、面白いですよね。

加藤　その素材はどれくらい硬いんですか。

川原　パンパンに空気を入れると、自転車のタイヤぐらいの硬さになります。でも、座席などは柔らかくできます。

江崎　立体構造物を、例えばハサミとノリみたいなもので作ると、それを使った（継ぎ目の）部分が一番弱くなるんですよ。でも、折り畳みのように、そうした部分がなくても展開できると弱い部分がなくなる。これは3Dプリンター[★18]も同じです。

瀧口　接合部分がないですからね。

江崎　そうすると、これまで作れなかったものが実際に作れるんです。材料や構造を上手に作ると、切ったり貼ったりしなくてもモノを作れるんです。

加藤　人間で言うと、急所がない状態ですよね。

瀧口　そうなると、製造業もかなり変わってきますね。

黒田　全体がわからない部分の専門家だと、このような発想には至らないんですよね。「今あるものをどれだけ早く動かすか」とか「どれだけ安くするか」ということばかりに一生懸命になる。そこしか最適化する部分がないですからね。でも、全体を考えたら「大きくごっそり変えたっていいじゃないか」という発想が出てくる。すると多様な解が見つかります。

瀧口 確かに、普通は「自動車は鉄でできている」ということを疑いませんもんね。

江崎 その意味で、「どうして車はタイヤで動いているんだっけ」という疑問を僕が最初に持ったのは、実は道路ってめちゃくちゃお金がかかるからなんですよ。インフラでは、道路と橋を作るコストがものすごく高い。では道路が必要なのはなぜかというと、タイヤで走っているからですが、そもそも動くなら空でもいいし、歩いてもいい。そう思うとインフラデザインはすごく変わりますよね。

川原 柔らかいロボットは、研究としてすごく面白いんですよ。固いと方程式で全部記述できるのでコントロールしやすいんですけど、柔らかいとこちらが思っているような動きをしないので、数学でどう扱っていいかわかりません。ですから、ハードなロボットを作っている学会とかに持っていくと「力出ないよね」とか「精密な制御ができないよね」と言われる。なので「これはハードなロボットと勝負をしてはいけない」と思うようになったんです。それで「じゃあ、何に使えるかな」ということを考えている中で出てきたのが、ホイポイカプセルなんですよ。

加藤 それは、ロボット的なところにフォーカスがあるんですか。それとも素材の部分ですか。

川原 というより、僕らがやりたかったのは「IoT（モノのインターネット）の次の時代を考え

★18［3Dプリンター］コンピュータ上の3次元デジタルデータをもとにして、その物体を実際に作り出す機械のこと。紫外線をあてると硬化する液体樹脂を使ったり、素材粉末にレーザービームをあてて焼結させたりして作る。

る」ということです。3Dプリンターがモノ作りの根底を変えるし、電力などのエネルギーが無線で供給できるようになる。するとすると「自然界に存在する草木や虫みたいなものが、人工物で作れるような時代が来るんじゃないか」と思ったんです。そこで、新しい材料などを積極的に集めてきて、それを組み合わせて「今まで見たことがないようなものを作ってやろう」と考えたんです。結果、数ミリの小さな蛍みたいなものを人工的に作って飛ばしたら、なんか楽しいんじゃないかなというところからスタートしました。

黒田　実は川原先生と私はオフィスシェアリングしていまして、同じオフィスの住人なんです。廊下に川原先生の作った実験機がいっぱい展示されています。

「楽しい」という気持ちこそ最強である理由

黒田　「楽しい」と何がいいかというと、多くの人が興味を持つんです。多くの人が興味を持つと、アイデアがたくさん出てくる。すると、新しい価値が見えてきますよね。例えば今のホイポイカプセルの話を聞いていると、「車が畳めるなら車庫代がいらなくなるから、経済的にも楽になるじゃないか」とか、色々な副産物的なアイデアが出てくるじゃないですか。一方で、ひとりの人間が最初から価値や目標を決めてしまうと、その方向にしか進まない。

瀧口 「『楽しい』から研究が始まると、いろんな人がすごく興味を持ってくれる」ということは、それがダイバーシティに繋がって、さらにイノベーションが加速する。とてもいい循環が生まれますね。

江崎 その時に重要なのは「上手に褒める」ことだと思うんです。「これ、面白いね！」って。新しいアイデアって、最初はうまく動かないことが多いですよね。でも「これ面白いじゃん」みたいなことを言うと、多様性が尊重されてみんなやる気が出ますよね。

黒田 私がある講演会に出席した時、私の前の方がデジタルアーツ[★19]の話をしたんですよ。ところが、その講演を聞きに来ている人は、どちらかというとアート系よりも製造業の人たちが多かった。だから、デジタルアーツの話をした人に「それは、他のものと比べた時にどういういいところ、悪いところがありますか」と会場から質問が出たんです。製造業の講演では、そういう質問は当たり前なんですよね。でも、その質問を聞いたデジタルアーツの人は、ポカンと口をあけて「私は他と比べたことがありません」と答えたんです。これは文化の違いです。

瀧口 だって、アートですからね。

黒田 デジタルアーツの人は「人と比べることに興味がない」と言ったんです。実は、そういう「心の柔らかさ」のようなものが重要です。それがなくなると、心がどんどん硬くなって、どんどん小さくなってしまう。大学は色々な人が集まる場所ですから、柔らかい気持ちで「面白そう

★19 [デジタルアーツ] コンピュータを使って制作された芸術作品のこと。コンピュータグラフィックスを使って描かれたイラストや、デジタルカメラで撮った写真、また、その写真を加工したものなどを指す。映像作品や立体投影（プロジェクションマッピング）なども含まれる。

だ」と思うことをやっていた方がいいと思います。

江崎　今のお話を聞いて、坂本龍一[20]さんと行ったイベントを思い出しました。世界中のミュージシャンが、遠隔でオーケストラや弦楽四重奏などを演奏するというイベントです。そうしたら、地球はやはり大きいので、どうしても音の遅延がある。だから、演奏を合わせるのがめちゃくちゃ難しかった。その時に僕ら凡人は「どうやったら遅延がなくなって綺麗な音楽が奏でられるか」というテクノロジーの部分を頑張ろうとするじゃないですか。でも、坂本さんは「そうか、こういう条件なら新しい音楽ができるな」と面白がって、遅延を利用した新しい音楽作りを始めたんです。

黒田　面白い。さすがですね。

川原　僕らのプロジェクトにもアーティストの方が何人か参加されているんですが、アートの力の本質は「人の心を動かすこと」なんですよね。それは「本当に感動した」というポジティブなことかもしれませんし、逆に嫌悪感を与えるようなものもアートとしてはやはり一流なんです。そして、議論が巻き起こって「もっといいもの」「みんなが求めているもの」がわかってくることが重要なんだと思います。ですから、ホイポイカプセルもいいことばかりではないと思います。例えば、軽いのでぶつかったら吹っ飛んでしまったりするかもしれません。色々と乗り越えなくてはいけない壁があるかもしれませんが、これまでと違う見方をすることで、新しい使い方に気づくこともあるのかなと思います。

黒田　テクノロジーとアートって、とても重要な関係ですよね。実はＭＩＴ（米国マサチューセッツ工科大学）のメディアラボでは、このふたつをやっています。やっぱり、その重要性をわかっているんですね。

江崎 米国ハーバード大学のビジネススクールでは、ビジネスを教えるわけだけれども、アート作品も数多く展示されているそうですね。アートのセンスがないと経営は無理ということなんじゃないでしょうか。

メタバースではすべてが可能になる

瀧口 では、続いてのテーマになります。江崎先生の「メタバースではすべてが可能になる」です。

江崎 メタバースは、サイバー空間ですべてのものが代替できます。なので、みんながリアルにやることはご飯を食べることぐらいです。かつ、メタバースは今までにない空間なので、非常に成長領域であるとも言えます。そして、もうひとつ大事なことは「メタバースは物理空間の制約がない」ということ。例えば、光[21]は1秒で地球を7周半できますが、その条件を変えることもで

★20［坂本龍一］作曲家、ピアニスト、俳優。YMO（イエローマジックオーケストラ）のメンバーとしても活躍。1952―2023。日本人で初めてアカデミー賞作曲賞を受賞した。ヒット曲に「戦場のメリークリスマス」などがある。インターネットをはじめとする最先端のテクノロジーも盛んに取り入れ、ジャンルにとらわれない音楽活動を行なっていた。

きる。また、重力を10分の1にしてもいい。透明人間にだってなれます。このように物理的な制約が、ほぼほぼなくなる。自分の好きなルールが作れる。これらが、現実の物理空間にはないメリットです。だから、そこではたぶん新しい貨幣ができるし、新しい会社ができる。今、行なわれているほとんどのコピーが作れるけれども、コピーだと面白くないので、コピー以上のものを創ろうするのがメタバースだと思います。

瀧口　メタバースのほかに「デジタルツイン」というのもありますよね。これはリアルの世界にあるものを、双子のようにそっくりメタバース空間にも作るという技術です。

江崎　デジタルツインの方が、より古い概念ですよね。それに対しメタバースは、空間ごと違うものを作れます。するとメタバースでは、モノよりも「空間」の方が主役になってくる。だから、メタバースで作ったものの必要な部分だけを物理空間でプリントアウトしたり、3Dプリンターで作り出したりできるようになってくる。メタバースと物理空間の間に、3Dプリンターが出口として存在するという感じです。

瀧口　現実世界がメタバースの世界の出口になるんですね。

江崎　というのが、もうすでにいくつか始まっています。

黒田　デジタルツインの世界だと、仮想空間にリアルと同じ街が作られていて、今、この瞬間に誰がどこを歩いているか、といった状況もすべて投影することができます。だから、そこに現実空間のリスクを再現できます。例えば、車を運転中に「今、この街のこの場所で事故を起こしたら、3つの回避策があるが、どれが最もダメージが少ないか」ということもわかる。そして、

「もし事故後、裁判になったらどうなるか」ということも判例から導き出せる。すると「オプションAを取るのが最もダメージが小さい」ということがミリ秒単位で計算できるわけです。そういうことが、すぐにできるようになるでしょうね。

瀧口　デジタルツインの世界だと、現実の物理空間にあるものをすべて投影できるので、未来がどうなるかを計算で予測できるということですね。

黒田　そうです。「ここでハンドルを右に切ると電柱とぶつかるけれども、その場合にはどういう責任が発生する」とか、「ここでブレーキを踏むと後ろの車とぶつかって、その場合には何が起こる」というのを瞬間的に計算できるんです。

瀧口　加藤先生は、そんなデジタルツインについてどうお考えですか。

加藤　デジタルツインは、物理世界をデジタルの空間に作っているので、物理空間の制約がすべて同じように影響します。だから、たぶん電力などのエネルギーを多く必要とすると思います。制約があるぶん、色々なことを計算しなくてはいけませんからね。でも、メタバースだと物理空間の制約がないので、意外と手軽に多様な世界が作れるのではないかなと思います。そして将来的には、3つの世界ができるのではないでしょうか。現実の「物理世界」、その構造物と制約が残った「デジタルツインの世界」、そして、構造や制約などがない「メタバースの世界」という3つです。

★21［光］電磁波の一種。1秒間に30万kmのスピードで進む。これは地球を7周半する速さ。宇宙空間ではまっすぐ進むが、空気や水などの物質があるところでは、反射したり、吸収されたり、散乱したり、透過したりする。また、光は波と粒の両方の性質を持っている。

瀧口　現実とデジタルツインとメタバースがグラデーションのようになっている世界ですね。

黒田　仮想空間に物理モデルを作るのは大変だけど、計算できるんです。計算できないのは人間の行動なんですよね。例えば今ここで加藤さんと僕がなんの話を始めるかということは誰にも計算できません。

少し別の話ですが、確かにコロナ禍によってリモートが一般的になりました。朝はアメリカの東海岸の人とオンラインで話をして、次に西海岸の人と話をして、お昼を食べてアジアの人と話をして、夜になったらヨーロッパの人と話をする、ということができるようになった。数秒で空間を切り替えられるんです。しかし、時間を超えるのはなかなか難しい。国際会議などでパネルディスカッションをする場合、日本に割り当てられる時間は、夜中の0時から2時くらいなんですよね。普通、その時間は寝ていますから、とても眠いし、議論をしようという元気も出てこない。だから、その時間に寝ながらパネルディスカッションに参加できないかなと思っているんです。

瀧口　それは、どういうテクノロジーで実現できるんですか。

黒田　つまりＩｏＴがあるのなら、「インターネット・オブ・ブレインズ（ＩｏＢ）」があってもいいじゃないか。寝ている間に議論ができると時間を超えられるんじゃないかなと思うんです。例えば、会議の時間帯にちょうどレム睡眠になるように睡眠のリズムをコントロールする。レム睡眠では脳は活発に活動しているから、脳がインターネットに繋がっていれば議論もできる。

眠っている時間も活動できると、どうなるか

江崎　そこで「俺のチップ」ですよ。黒田先生の脳をお借りすれば、24時間対応できます。

黒田　問題は、朝起きたら自分が何をしゃべったか覚えていないということです。すごい数の抗議メールが来ているかもしれない（笑）。その時は、寝ぼけてましたと謝るのかな（笑）。

川原　脳科学者の人は「脳の活動は電気刺激にすぎないから、全部モデリングすれば脳が再現できる」って言いますよね。

加藤　24時間のうち自分が起きている時間はまあいいとして、自分が寝ている時間に自分で対応するのか。もうひとつは、自分のコピーを物理的にもうひとつ作っておいてやらせるのがいいのか。あるいはデジタルの世界に自分のコピーを作って、自分と同じことを学習させるのがいいのか、という論点も生まれますね。

黒田　すぐに睡眠のリズムをコントロールできる時代になると思いますよ。空間を超えるところまでは行ったので、次の「時間を超えること」は、まさに時間の問題だと思います。

江崎　逆に言えばそもそも時差があるから大変なわけで、みんな標準時刻で過ごしたらいいよねっていう発想になりますよね。

加藤　メタバースだったら日の光関係ないですもんね。

江崎　生体時計を合わせるために太陽光を人工的に当てれば。

黒田　睡眠のリズムをコントロールできる時代は遠くないと思いますね。

江崎　海外出張でずっとホテルに閉じ込められてると、時差に生体時計がなかなかアジャストしないんです。ご飯を食べたりゴルフをしたりしてようやく生活リズムがその土地に合うんです。

黒田　皆が一回だけ標準時ゼロのところに集まって、そこで体を慣らして、そこから先はメタバースの世界で全部遮断してその時間で生きるとか。ちなみに、人間がこれだけぐっすり寝るようになったのは、産業革命[★22]以降らしいですよ。それ以前は、いつ何があるかわからないから、ぐっすり眠れなかったみたいです。

10年後に生き残るのは国家か、GAFAか

瀧口　続いてのテーマは、江崎先生の「10年後に生き残るのは国家か、GAFAか」です。

江崎　GAFA[★23]というのは「デジタル空間やサイバー空間を仕切っているビッグプレイヤー」という意味で使っているんですが、私がなぜこのテーマを出したかというと、そもそも制約のある物理空間に住んでいる人の集合体を国家というわけですよね。

加藤 物理空間というのは「土地」ということですね。

江崎 そう。企業はこの「土地」にすごく制約を受けていました。例えば、本社をどの国に置くかによって税金のルールが変わります。でも、グローバルに活躍する企業が出てきて、今はサイバー空間にも企業が広がっている。それが5、6年前からすでに行なわれているんです。

瀧口 サイバー空間に企業が進出する。

江崎 はい。では、これがどういうことを意味しているかというと、会社を創る時に物理的な「本社」がいらなくなったということです。「社長は加藤先生で、CFOは黒田先生にします」というだけで会社が創れてしまう。もう、会社は土地に張りついた集団である必要はないということです。では、この「会社」を「国」に変えるとどうなるのか。いま、国は土地に張りついた集団だけれども、その制約がなくなれば「どこに行ってもいい」ということになります。サイバー空間に国を作ってもいいし、宇宙に国を作ってもいい。すると、サイバー空間の国では貨幣が必要になるけれども、そういうもの（ビットコインなど）はすでに始まってますよね。ですから、今後はサイバー空間で経済活動が行なわれて、国家と同じようなものが生まれるでしょう。その最初のきっかけが、もしかしたらGAFAなんじゃないかということです。ここで改めて「国って、

★22［産業革命］18世紀後半にイギリスから始まった技術革新と社会の変化。機械と蒸気機関が広まったことによって工場制度が普及し、経済の中心が農業から工業へと移っていった。一方で工場を経営する資本家が労働者を酷使するなどの問題も起きた。

★23［GAFA］「Google（Alphabet）」「Apple」「Facebook（現Meta）」「Amazon」といった米国を代表する巨大IT企業4社の頭文字をとってつくられた言葉。最近はここに「Microsoft」を入れて「GAFAM」と呼ぶことも多い。また、Facebookを外し「Tesla」「NVIDIA」を入れて「MATANA」とすることもある。

元々なんだっけ」という問いが出てきます。

瀧口　国は元々、物理的な土地に紐づいているものであり、自国の貨幣を保証しているものでもありますよね。

加藤　あと法律や宗教もありますが、インターネット上の世界にもすでにそういうものは出てきています。

江崎　あと、福祉ですね。つまり、シチズンシップを持っていると、家に帰れるとか、生活を保障してあげるとか、様々な権利を持つことになるわけです。それが市民権であり国籍であったりしたんだけど、でも「今時、国籍なんていらないんじゃゃね？」と考える人が増えていると思うんです。

瀧口　だから、インターネット上の世界に、すでに国家のようなものが生まれてもおかしくない状況だということですか。

江崎　もう生まれていますよ。それこそ先ほどのメタバースなどがそうです。

川原　現実の国だと、エストニアが電子政府に力を入れていますよね。外国籍の人でも登録できる「eIDカード」[★24]や「電子国民（e-Residency）」[★25]などがありますから。

加藤　今、お金を稼ぐ方法は色々とありますが、アルバイトでも正社員でも基本的には雇用関係じゃないですか。

江崎　そうですね。雇用とは基本的には契約のことです。つまり「私の能力を提供するから報酬として何かください」と言うこと。その報酬にあたるものがたまたまお金で、そのお金に書かれている数字を保証するのが国家なんです。

加藤　株に近いですね。

江崎　そう。株に近いと考えれば、実は、その数字を国が保証しなくてもいい。企業が保証してもいいんです。

加藤　じゃあ、例えばビットコインは、株みたいな世界までは来ているということですか。

江崎　そうですね。ビットコインということでもう一つ面白いのは、あの価値は「計算」が保証しているんですよ。計算をするのにはエネルギーが必要ですよね。つまり、ビットコインの価値の大本にはエネルギーが不可欠なんです。

瀧口　ビットコインは、計算（マイニング）をしてくれた人に付与されますね。

江崎　はい。ということは、ビットコインはエネルギーをたくさん持っている人がいちばん強いということです。

黒田　先ほどまでの話を聞いていると、これまでの物理空間に対して、最近、仮想空間が誕生しましたが、この仮想空間の中で国家などの新しい仕組みを考えた方がいい、というのは理解できる。だけれど、結局、物理空間の制約に基づいた仮想空間である限り、これまでと同じような資源の奪い合いなどがあるわけですよね。一方で、この仮想空間に独裁者が出てきたとして、すべ

★24［eID カード］エストニアで広く普及しており、国内外で導入される電子認証システムの一例として注目されている。電子認証やデジタル署名に使用され、公的なオンラインサービスへのアクセスや電子政府サービス利用を可能にする。

★25［電子国民］エストニアで2014年から始まった制度で、外国人でも手続きをすればエストニアの電子国民になれる。電子国民は行政サービスを受けたり、銀行口座の開設などができるため、起業も可能。永住権とは違うので、実際に住むとなると別の手続きが必要になる。

てのデータを信頼できない形で運用し始めたらどうするのか。そういう体制を今の民主主義の中でどう守っていくのか。そのへんは非常に難しいというか、危険をはらんでいると思います。

江崎　そうですね。だから、今のサイバー空間ですごく力を持っているＧＡＦＡなどの会社の株が、専制主義・独裁主義的にコントロールができる形になっていることがすごく問題なんです。

瀧口　黒田先生は、ネット上の世界もやはりリアルの世界の制約に影響されるということを言っているわけですね。

加藤　シリコンなのか、酸化ガリウムなのかわかりませんが、半導体は確実に物理的な制約が影響するでしょうね。それから、通信するのには基地局が必要なので、意外と基地局のロケーションなども影響しそうですね。

黒田　どこにデータセンターが集中しているかとか。

江崎　それは〝不動産〟ですね（笑）。

加藤　だから、不動産は意外とメタバースと現実世界の繋がりのひとつになるかもしれませんね。

江崎　あと面白いのは、ある時、ビットコインのマイニング（暗号通貨の取引に必要な計算処理に協力して、その報酬としてビットコインをもらうこと）の半分以上が中国になりました。でも、中国でのマイニングが禁止になると、マイニングをする人は中国の西側の国に中心が移動して、そのせいで西側の国の電力が足りなくなり、電力価格が上がって大変だったそうです。

加藤　メタバースが破壊されることがあるとすれば、その原因となるのは、サイバー空間の破壊というのもあれば、リアルなデータセンターなどの破壊というのもありそうですね。

瀧口 そうですね。ところで先ほどの国家の話ですが、メタバース上にできるという話のほかにもうひとつ、宇宙にできるという話があったと思います。後者の、宇宙の方はどのような国家が予想されるのでしょうか。

江崎 資本主義が成長するには、新しく開拓できる場所が重要なんです。なので、宇宙空間が新しく開拓できる場所だということになると、そこに新しい国家が生まれるでしょう。今は「公の海とか、公の空とか、宇宙空間には国という概念を持ち込まないようにしよう」ということになっていますが、そのうちに「この宇宙空間は自分の国だ」と言い出す人が出てくる可能性はありますよね。

加藤 『機動戦士ガンダム』のジオン公国（スペースコロニー国家）[★26]の世界ですね。

江崎 国でなくても企業でもいいかもしれないですよね。

瀧口 アマゾン創業者のジェフ・ベゾスやヴァージングループ創設者のリチャード・ブランソンなどは、すでに宇宙にどんどん行っていますね。

黒田 もし、私たちの体の中に、生命が生きていくためにプログラムされた〝開拓スピリット〟があるとしたら、ヨーロッパからアメリカ新大陸に行ったように、地球から宇宙に出ていくことは必然だと思います。

加藤 それに、宇宙に行くとエネルギー効率もいいわけですよね。

★26 ［ジオン公国（スペースコロニー国家）］アニメ『機動戦士ガンダム』シリーズに登場する架空の国。月の裏側にあるスペースコロニー40基で構成されるスペースコロニー国家でもある。ガンダムに登場するシャア・アズナブルは、ジオン公国の宇宙攻撃軍の少佐（初出時）。

川原　宇宙まで行かなくても、いま海の上に独立国家を作る動きもありますよ。

江崎　だから「国とは何か」という問いが出てくるんですよ。実際には、国際連合から認めてもらえればいいだけですからね。

GAFAにすべてを任せて大丈夫？

瀧口　ここまでは国家についてのお話を伺いましたが、このテーマは「生き残るのは国家か、GAFAか」ということなので、GAFAについてはいかがでしょうか。

江崎　国って大きくなったり小さくなったり、あるいは消えていく場合もあるじゃないですか。そういうことを考えるとGAFAも同じだろうと思います。彼らが永久に今の覇権を握ることは考えにくい。また、強くなりすぎた組織には当然「これをやってはいけません」という制限が加えられますよね。そして、そういう過程の中で新しい組織も出てくるかもしれません。ですから、今あるGAFAの姿は変わっていくと思います。これは国でいうと、国境が変わるのと同じだと思います。

加藤　そこには、信用の問題がありますよね。

江崎　そうですね。今、GAFAのようなテックジャイアントが「入手したデータを正しく使っているか」「情報をコントロールしていないか」ということに対して、人々の警戒心が強くなっています。

加藤 ただ、あまり技術に詳しくない一般の人たちからすると「いや、別にGAFAに全部任せていいんだけど」となる可能性もありますよね。

瀧口 利便性という面にフィーチャーした場合ですね。

川原 今まではデジタルが自分の生活内で完結していたので、その考え方でよかったと思いますが、コロナ禍以降、潮目の変化を感じます。例えば国民をすごくコントロールする国というのは、国民の行動を逐一モニタリングしています。隣の街に行ったり、どこかの施設に入ったりするのでも、いちいち履歴から評価されるので、人によってはスマホに赤いマークが表示され、かつて入れた場所に入れなくなったりするんですよね。そのように、デジタルが物理的に人々に影響を与えるものだ、ということが広く知られてくると、そのリアリティとか重大性について議論が起こってくると思います。

江崎 最終的には、ユーザーがどれだけ自由に発信できるか、行動できるか、というところにかかっているでしょうね。これを民主主義というんです。そういうときに「俺のエネルギー」「俺の半導体」というものを国民ひとりひとりが持てるようになれば、権力と闘うための重要なツールになると思います。

黒田 さっきの話にもありましたが「大きいことはいいことだ」という考え方は、工業化社会で規格化されたものをみんなで大量に作って、全体のレベルを上げるという時には機能しましたが、その先の「それぞれの価値観で、それぞれの豊かな人生を考える」という時には機能しません。ですから、GAFAが資本の競争をしている間はそれでいいのですが、その一歩先に行こうとすると、数少ない大きなプレーヤーよりも、規模は小さいけれどもたくさんのプレーヤーがいるほうがイノベーションは起こります。そして、そのほうが発展性もあります。

加藤 国家レベルでは確かに、GAFAのような企業が「データを正しく使っているか」「情報をコントロールしていないか」ということが気になりますよね。

江崎 企業側のトップが独裁者として情報をコントロールするようになると、民衆の個人の意見が出てこなくなりますよね。ですから、どうすれば個人の意見が発信できるかということを担保する必要があります。

加藤 先ほども少し触れましたが、GAFAのサービスは民衆からすると便利なので、「便利だったら別に少しくらいデータが使われてもいいや」と思いがちですよね。それを統制するためには、国家だったら電力などのエネルギーを利用させない、みたいなことで対処できますが、反対に言えば、GAFAが自分たちでエネルギーを持てさえすれば、やりたい放題できるということですよね。

江崎 そうですね。だから、ひとつの組織がすべてをコントロールできるような形にしてはいけない。だから会社を分割させるという発想になるわけです。例えば、日本の放送業界は情報を伝達する会社とコンテンツを作る会社が一体化していますが、アメリカはこれを分離しています。一体化している会社で独裁権を持っている人が良識的であればいいですが、もし悪い人に替わった時に悪いことをしないような仕組みを作っておかなければいけないからです。

瀧口 Google の企業行動規範に「don't be evel（悪人になるな）」とあるのは、それだけのパワーを自覚しようということなんですかね。

黒田 あと「楽しいか」「幸せか」ということもあると思います。GAFAも目指しているところがそれぞれ違っているわけで、人々の心をつかめないと廃れていくはずです。

瀧口 人々の心をつかめないとは、どういうことですか。

黒田 つまり「誰かが独占している」あるいは「その人の意のままに何かが変えられている」ところに暮らしていて果たして楽しいのか、ということです。「多様性を認めなくていいのか」「危機管理はどうしているか」「非常時にいかに効率よく対処できるか」、あるいは「経済合理性をどれくらい追求するか」「いかに安く楽に生活ができるか」など、目指されるべき社会の形はそれぞれ少し違います。ですが、やはり最終的には「心が楽しいか」「快適か」「幸せか」というところに辿り着くと思います。

瀧口 利便性だけでなく、ユーザーの我々も「本当は何が幸せか」というところを意識していく必要があるということですね。

Part2のおわりに　司会・瀧口友里奈より

「楽しいと多くの人が興味を持つんです。多くの人が興味を持つと、アイデアがたくさん出てくる。すると、新しい価値が見えてきます」と黒田先生。例えば「楽しい→多様な人が集まる→いい研究が生まれる→楽しい」というサイクルを生むことを考える時、「楽しい」を生む一つの方法は「面白さを他人と共有する場作り」です。アカデミアの研究成果を一般の方とシェアできる「場」が増えるとよいと考えています。東大工学部は「メタバース工学部」を設立し、中高生や社会人などにもオンラインで学びの場を提供していますが、リアルな「場」として私が今注目しているのは「書店」です。書店こそ、一番身近な「知」を楽しめる場所なのではないかと思います。ですが現在、急減している場所でもあります。そんな「書店」を、知のアミューズメントパークのような楽しい「場」として大学が提供できたらと思うのです。そして、書店のイベントなどを通じて研究者が自らの言葉で研究成果を共有すれば、一般の方の反応が研究のモチベーションや次のビジョンにも繋がり、「楽しい」が生まれるのではないでしょうか。発信をすると面白いのは、解決すべき新たなテーマや社会課題が自然と集まってくることです。社会と双方向のコミュニケーションのできる研究室は、さらに楽しさや才能、アイデアが集まるはずです。アカデミアにおける「楽しい」は、今後の大学作りにおいて、議論しがいのある重要なテーマだと感じています。

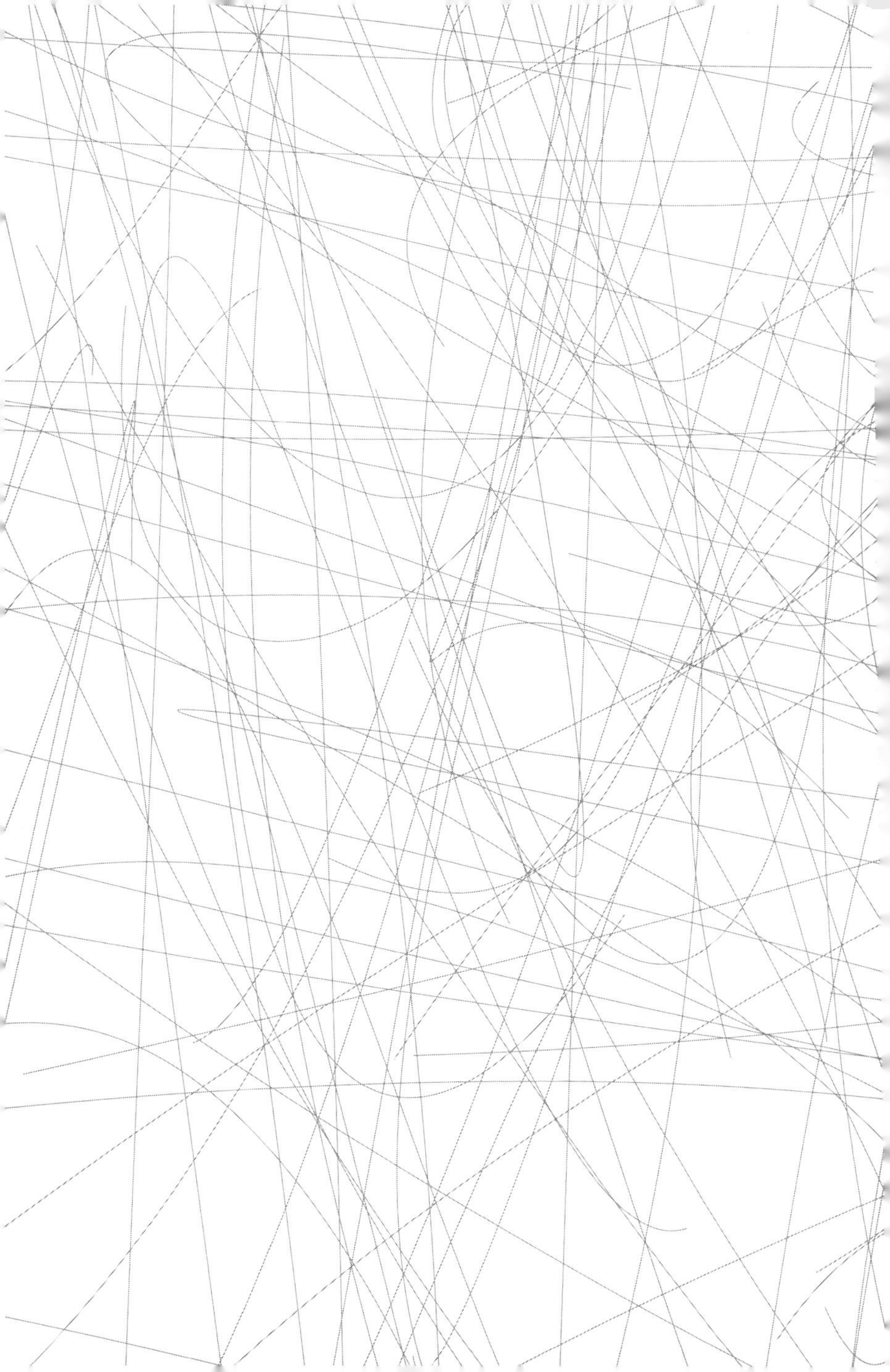

知の巨人たちのQ&A

Q. 最近、興味を引かれたモノやコトはありますか？

A.

暦本教授　AIの進展に尽きます。ジェットコースターに乗り続けている感じが続いています（どこに向かっているかも分からない状態で）。

合田教授　私の息子2人（7歳と5歳）です。子供は新しい考え方や凝り固まった常識を覆す概念を提供してくれます。先人よりも小学生、幼稚園生と交流するほうが楽しいですし、頭のリフレッシュになります。

江崎教授　『負債論　貨幣と暴力の5000年』（デヴィッド・グレーバー著、酒井隆史ら訳。以文社）

黒田教授　2023年に読んだ本のベストは、『INNOVATION STACK―だれにも真似できないビジネスを創る―（TOYOKAN BOOKS）』（ジム・マッケルビー著、山形浩生訳。東洋館出版社）。昨年ですが、ChatGPTが出たとき、チップの設計ツールに使えると直感し、興奮しました。

川原教授　生成AI。ChatGPTを含め、登場とともに専門家にも一般にも即座に大きなインパクトを与えた技術は過去にないのではないかと思います。技術的背景のみならず社会のリアクションも含めて興味があります。

中須賀教授　エントロピーの話が非常に気になり、その関係の本をたくさん読んでいる。地球温暖化、環境汚染、エネルギー問題はじめ、多くの地球規模課題が閉鎖系である地球におけるエントロピー増大によるところが大きいと痛感し、どうしたらそれを解消できるかを検討している。地球はそれだけ危機の状況であるといえる。

戸谷教授　中国古典「老子」を読みました。論語などの他の中国古典と違い、自然界への洞察や考察などが自然科学や物理学に通じるようなところもあって、とても興味深く読みました。

新藏教授　『The Code Breaker』。研究の物語です。

富田教授　NHKの連続テレビ小説『らんまん』（2023年）と、（主人公のモデルである）牧野富太郎。収集と分類が生物学の基本であると改めて認識したことと、興味があることへの絶えない情熱の重要さに気付かされた。

Q. 研究生活におけるマイルールを教えてください。

A.

暦本教授　試行錯誤のサイクルを早くする。どんな変なことでも思いついたらとりあえずメモする。とにかく検索する（最近はAI系の検索ツールやChatGPTも）。

合田教授　パブロ・ピカソの「すべての創造は破壊から生まれる」を実践しようと頑張っています。外圧などもあり、大半の人は破壊することを躊躇します。破壊による内外の批判を恐れずに、創造をしていきたいです。

江崎教授　左手に研究、右手に運用。

黒田教授　ルールはありませんが、夢中になり、寝ているときでも考えるほどに取りつかれているときがしあわせです。

川原教授　ひとつの専門領域に固執するのではなく、一定期間ごとに意識して領域を横断するようにしています。

中須賀教授　問題を明確化し、できるだけ周辺知識を頭に入れたうえで、夜昼、食事の時、寝床でも、徹底的に考え抜く。数週間後に答えが出てくることが何度かあった。

戸谷教授　世界で自分にしかできない、自分しかやろうとしないような研究を心がけています。

新藏教授　あきらめないこと、簡単に他人のデータや論文を信じないこと。

富田教授　仕事をするときは仕事をする、遊ぶときは遊ぶ。

AI
エネルギー
国家
教育
生命
宇宙
ビジネス
IT
環境
仮想空間

Part3 「宇宙」

中須賀真一×戸谷友則×江崎浩

今回のテーマはずばり、宇宙！ 航空宇宙工学における第一人者・中須賀教授は、学生主導の超小型衛星プロジェクトを行っており、ベンチャー起業家など、宇宙開発の最前線で活躍する卒業生が多くいることでも知られる。中須賀教授が語る、小型衛星がもたらす未来像とは。一方の戸谷教授は、最先端の天文学に従事。座談会では、とある理由によって衛星に物申す（!?）場面もあり、知られざる宇宙的難問が明らかにされる。そんな2人に加え、Part2に引き続き登場する江崎教授は、ある根源的な問いを投げかける。それは「宇宙空間は誰のものか」。現時点で存在する「宇宙法」の困難と、そこから派生するビジネスの可能性について話を展開していく。そのほか、アインシュタインの天才性や小惑星衝突、宇宙の秘密のカギである「ダークエネルギー」についてなど、もはやSFと見まがうような宇宙の未来について、3人の知の巨人が縦横無尽に語り合う。まさかの「神」にまでテーマが広がっていく様子は、宇宙空間さながら！ どれをとっても明日から誰かに話したくなるようなテーマ目白押しでおくる。

瀧口友里奈（以下、瀧口）　今回のテーマは「宇宙」です。

加藤真平（以下、加藤）　宇宙は今、研究もビジネスもホットで多くの人が興味ある分野だと思います。

瀧口　ご参加いただくのは、中須賀真一先生、戸谷友則先生、江崎浩先生です。

加藤　中須賀先生は、航空宇宙業界の超大物です（笑）。研究だけでなく、ベンチャーやロケットなど幅広い分野で活躍されています。

瀧口　宇宙飛行士の山崎直子さん[*1]が〝中須賀研（究室）〟出身です。続いての戸谷先生は天文学がご専門です。

加藤　「どうやって宇宙に行くのか」というお話も面白いのですが、戸谷先生は「宇宙はどうなっているのか」がご専門なので楽しみにしています。

瀧口　そして、江崎先生は前回に引き続いてのご登場です。よろしくお願いいたします。さて、今回も事前に先生方にお一人ずつ「10年後、人類と宇宙はどうなっているのか」についてお伺いしましたので、その中から興味深い発言や印象的な言葉をピックアップしてトークテーマとさせていただきます。最初は中須賀先生の「宇宙開発は民主化の時代」です。中須賀先生、少し解説をお願いできますでしょうか。

宇宙開発は民主化の時代

中須賀真一（以下、中須賀） 今、宇宙開発は政府が中心となって大企業と一緒に進めていますが、今後は民間企業が自分たちの力でどんどん宇宙開発を行なって、民間企業が得た成果やサービスを政府が買うという時代になっていきます。例えば「宇宙旅行」がそのひとつです。「BLUE ORIGIN」[★2]、「Space X（スペースX／イーロン・マスクが設立）」、「Virgin Galactic（バージンギャラクティック）」[★3]の民間企業3社が、それぞれ宇宙旅行のビジネス化に成功しています。

それから、これまで国際宇宙ステーション（ISS）[★4]に宇宙飛行士を送り込むのはNASA[★5]が行なっていましたが、今はスペースXの有人宇宙船「クルードラゴン」[★6]が送り届けています。日

★1［山崎直子］宇宙飛行士。1970年生まれ。千葉県出身。東京大学大学院工学系研究科航空宇宙工学専攻修士課程修了後、JAXAを経て、2010年4月に宇宙飛行士として国際宇宙ステーションに到着。組み立てミッションなどを行なう。その後、東京大学の中須賀研究室の非常勤研究員を務める。

★2［BLUE ORIGIN（ブルーオリジン）］アマゾンの共同創設者ジェフ・ベゾスが設立したアメリカの航空宇宙企業。主に有人宇宙船を開発している。NASAは有人月探査計画「アルテミス」に使用する月着陸船を開発する企業としてブルーオリジンを選定した。

★3［Virgin Galactic（ヴァージンギャラクティック）］ヴァージン・グループ会長のリチャード・ブランソンが設立した航空宇宙企業。2023年6月に商業宇宙旅行ミッションを行ない、成功。同年8月には2回目のミッションを行ない、同社としては初の民間人の宇宙旅行を成功させた。

本人としては野口聡一[★7]宇宙飛行士や星出彰彦[★8]宇宙飛行士が乗りました。

これは野口さんが地球に帰ってきてから聞いた話ですが、クルードラゴンはこれまでの宇宙船とは構造がまったく違っていて、たくさんの機器がゴチャゴチャとあるのではなく、ほとんどがタッチパネルになっていたそうです。「宇宙旅行に行く時代にふさわしい宇宙船だ」と感動していました。このように民間企業が宇宙開発をどんどん進めています。また、国際宇宙ステーションも老朽化がひどくなってきたので、作り替えが必要です（2030年に運用終了予定）。その後継となる宇宙ステーションの開発を民間企業がやることになっています。

加藤　宇宙ステーションも民間企業が作るんですか。

中須賀　そうです。すでに投資が進んでいます。宇宙旅行を提供している会社や宇宙ステーションの一部を作っていた会社などが、宇宙ステーション作りに乗り出してきています。きっと、宇宙旅行者が滞在する宇宙ステーションホテルなどの建設も想定されているんでしょうね。今、宇宙開発はすごい勢いがあります。

瀧口　国際宇宙ステーションが2030年で運用終了するというニュースには驚きました。それまで宇宙開発といえば、国が協力して行うものというイメージでしたが、それがなぜ変わってきたんでしょうか。

中須賀　やはり、やることがどんどん増えてきて、国だけの予算ではもう賄いきれなくなったということでしょう。事実、「宇宙ステーションにそんなにお金をかけていいのか」という批判が色々なところから出ています。そんな中で、民間企業は逆にどんどん宇宙に進出したいという思いがあるので、両者の思惑が一致したわけです。また、民間企業は国と組むことで企業価値や信頼性が上がります。すると、また投資が進む。民間と政府がお互いにハッピーになる宇宙開発を、アメリカなどは目指しているんです。一方で、日本はまだまだ政府が宇宙開発の中心です。そのため、後手に回ってしまっている。

瀧口 民間企業がやり始めると市場の競争原理に晒されるようになって、宇宙開発のサステナビリティという点では少し不安定さみたいなものが出てきませんか。

中須賀 民間企業は、ビジネスとして成り立たなければ宇宙開発をやめてしまうかもしれません。そうしたリスクは確かにあります。しかし、民間企業は競争の中でいいものを作っていくという

★4 〔国際宇宙ステーション(ISS)〕地上から約400㎞上空にある有人実験施設。アメリカ、ロシア、日本、ヨーロッパ、カナダによる共同プロジェクトとして、1998年に建設が始まり2011年に完成した。宇宙環境を利用して、様々な実験や研究が長期間行なわれている。

★5 〔NASA(アメリカ航空宇宙局)〕1958年に設立された、宇宙開発や宇宙研究を担当するアメリカの政府機関。1969年に人類初の月面着陸に成功した。その後も火星探査や国際宇宙ステーションの開発、運営支援なども行なっている。

★6 〔クルードラゴン〕イーロン・マスクが設立した「スペースX」社の有人宇宙船。無人宇宙船「ドラゴン」をベースに、宇宙飛行士を国際宇宙ステーションに輸送するために開発した。2020年には野口聡一宇宙飛行士らを輸送。世界初の民間有人宇宙船。

★7 〔野口聡一〕宇宙飛行士。1965年生まれ。神奈川県出身。東京大学先端科学技術研究センター特任教授。2005年にスペースシャトルで国際宇宙ステーションの組み立てミッションに参加。09～10年に国際宇宙ステーションに約5カ月半滞在。20～21年にも約5カ月半滞在。3度の宇宙飛行の経験を持つ。

★8 〔星出彰彦〕宇宙飛行士。1968年生まれ。東京都出身。2008年にスペースシャトルに搭乗し、国際宇宙ステーションへ。その後、12年にはソユーズ宇宙船で、21年にはクルードラゴンに搭乗し、国際宇宙ステーションに滞在した。3度の宇宙飛行の経験を持つ。

ことができますし、むしろ競争することで成長するスピードは速くなります。国は、そうしたことに期待しているのだと思います。

加藤　宇宙開発はもう完全に民間に移るんですか。

中須賀　多分そうなると思います。そして、政府が宇宙ステーションで何らかの実験をしたいのであれば、その実験期間だけ利用する。またその際は、宇宙ステーションへの往復の宇宙船の費用を支払うという形になっていくんじゃないでしょうか。

加藤　かつての「国鉄」や「電電公社」「郵便局」も「JR」や「NTT」「日本郵政」などの民間企業になりましたけど、それでも国の雰囲気が少し残っている感じはしますよね。

江崎浩（以下、江崎）　ちょっと割り込んでいいですか（笑）。今「民主化（民営がメイン）」というキーワードを出していただきましたが、これがなぜ可能かというと、技術が進歩したことで宇宙開発費が安くなったからです。初期の宇宙ステーションやロケットは、今のスマホの1000分の1くらいの能力のコンピュータを使っていました。能力が低いコンピュータで大きなロケットを打ち上げるのは、やはりリスクもありますし、国でないとできなかった。ところが、今のようにみんながスマホで仕事をするような時代になると、宇宙に飛んでいくものも小さなコンピュータでできるようになった。だから、民間企業でもロケットを打ち上げられるようになってきた。中でもアメリカは、NASAなどが持っていた宇宙技術を民間企業に積極的に提供する、という政策をやった。すると、民間企業はその技術を利用して新しいビジネスができるようになるわけです。中須賀先生が言っていた「みんなが協力しつつ競争しながら、システムを向上させていく」という構造を作るには、やはりこうしたニュートラリティ（中立性）を持った組織がないとなかなかうまくいかないと思います。

加藤 小さなコンピュータでも打ち上げられるということは、スペースシャトル[★9]も徐々に小型化されているんですか。

江崎 はい。めちゃめちゃ小さくなっていますよ。

中須賀 今、民間企業で作っているスペースシャトル的なものは、コンピュータを含めてだいぶ小型化していますね。ただ、やはり宇宙に行くには燃料が必要なので、その燃料部分の大きさをも物理的に小さくするのは難しいです。

江崎 燃料はどうしても超えられない物理的な制限ですよね。でも、もしかしたら戸谷先生が何かすごいアイデアを持っているかもしれません（笑）。

戸谷友則（以下、戸谷） 宇宙開発の民主化というのは、天文学にとっても非常にいいお話だと思います。そして、できれば天文学ももう少し民主化してもらいたい。天文学でいうと、例えばハッブル宇宙望遠鏡[★10]や日本のすばる望遠鏡[★11]など、大きな望遠鏡を作って遠くを見ようというのが、

★9［スペースシャトル］ＮＡＳＡ（アメリカ航空宇宙局）が、１９８１年から２０１１年にかけて打ち上げた機体の一部を再利用する有人宇宙船。ロケットのように打ち上げ、飛行機のように着陸する。30年で合計１３５回の打ち上げが行なわれた。なおその間、１９８６年にチャレンジャー号が、２００３年にコロンビア号が事故を起こし、それぞれ7名の宇宙飛行士が犠牲になった。

★10［ハッブル宇宙望遠鏡］１９９０年に打ち上げられた、地上約６００㎞上空の軌道を周回する口径２・４ｍの宇宙望遠鏡。宇宙の膨張を発見した天文学者エドウィン・ハッブルにちなんで名前がつけられた。２０２１年、ハッブル望遠鏡の後継として、口径６・５ｍのジェームズウェッブ宇宙望遠鏡が打ち上げられた。

この数十年の天文学の大きな流れです。

今、アメリカが計画している次世代宇宙望遠鏡ハビタブル・ワールド・オブザーバトリー[★12]は、地球以外の惑星の生命の痕跡を見つけようという究極の望遠鏡ですが、これは1兆円以上かけて、20年後くらいの運用を目指しています。そうなると、もう世界で一個しか作れません。

加藤　その次世代宇宙望遠鏡は、どこが作っているんですか。

戸谷　ＮＡＳＡです。

加藤　ということは、ビジネスになると思われれば民主化される可能性はありますね。

江崎　民主化といえば、天文台はスーパーコンピュータでものすごい量のデータを処理しているのですが、スーパーコンピュータを使うのではなく、みんなが持っているコンピュータの能力を借りて、例えば「１０００人くらい協力してくれると新しい惑星が見つけられます」というような活動をかつてやったことがあるんですよ。これは、ある意味で天文学の民主化です。

また、世界中のいくつかの場所に望遠鏡を置いて、その望遠鏡のデータを全部集めると大きな口径の望遠鏡で観測したものと同じ結果が出ます。ただ、その時には時間が正確に合っているかなどの条件が必要ですが。そうした条件をクリアしたうえで、世界中の人たちが持っている望遠鏡のデータを集めると、すごく大きな口径の望遠鏡ができるということになります。

加藤　いわゆる分散システムですね。

戸谷　２０２２年にブラックホール[★13]の撮影が話題になりましたよね。あれは電波によるものですが、世界中の天文学者が協力して各地の電波望遠鏡を繋げて観測しました。いずれにしても、大きな望遠鏡をひとつ作るという流れでは、いずれ行き詰まると思います。そうではなくて、例えば中須賀先生が研究している小型衛星などを使って、色々な人がたくさんのアイデアを出し合って、新しいサイエンスを生み出す。そうしたサイエンスの多様性が大事だと思います。そういった意味では、宇宙開発の民主化は、天文学や基礎科学にとって非常にいい流れだと思います。

「地上発、宇宙行き」のエレベーター

瀧口　ほか、地球から宇宙へのアプローチとしては、「宇宙エレベーター」を作ろうとしている企業があるんですよね。

中須賀　はい。宇宙エレベーターは、地球の静止軌道上に重心を置けば地球の自転と同じように回ることができるので、そこから地上までケーブルを伸ばして、エレベーターのように地上と宇

★11［すばる望遠鏡］米国ハワイ島マウナケア山にある口径8・2mの光学赤外線望遠鏡。国立天文台が運用している。標高4200mのマウナケア山頂は快晴が多く、平地の3分の2の気圧であることなど、天体観測の好条件が揃っているため、11カ国が運営する13の望遠鏡がある。
★12［ハビタブル・ワールド・オブザーバトリー］次世代型宇宙望遠鏡。地球外生命体や太陽系外惑星の生命の痕跡を探すことを目標としている。可視光、赤外線、紫外線の波長域を観測できる口径6m級の望遠鏡で、2040年代の運用を目指している。
★13［ブラックホール］密度が非常に高いため、その強大な重力によって周りにある物質をすべて吸い込んでしまう天体。光さえも吸い込まれたら逃げられないという。宇宙に空いた黒い穴のように見えるため、その名がついた。

宙空間を行き来するというものです。すると、燃料を使うことなく電気だけでロケットを宇宙空間に持っていけるので、その後のロケットの運行がすごく楽になる。ただ、まだまだ技術的な課題がいっぱいあるので、今すぐにはできないでしょうね。

加藤　宇宙エレベーターは、今すでに存在している土地の上にできるんですか。それとも「海ほたる」みたいに、海上に建設するのでしょうか。

中須賀　基本的には地球の自転と一緒に動かすため、静止軌道上に作らなければいけません。なので、赤道上のどこかでしょうね。小説家のアーサー・C・クラーク[★14]が書いた『楽園の泉』という小説には宇宙エレベーターのことが書かれているんですが、その作品内でも赤道上の国が建設予定地とされていました。クラークは軌道論のこともよく知っていたんです。

瀧口　科学に正確に基づいたSF小説なんですね。

中須賀　そう。だから、宇宙エレベーターの建設はまだ先になると思うので、今はいろんな人が技術開発を進めているところです。例えば、地上と宇宙空間をケーブルで繋ぐ時に、自分の重さで切れるようなケーブルではダメなわけで、自重よりもとにかく強い強度を持つ必要がある。実は、それがカーボンナノチューブ[★15]で可能になるんです。ただ、現状はまだ非常に短いものしかできない。だから、今後は3万6000㎞の長さのカーボンナノチューブを作る技術が必要になってきます。

瀧口　カーボンナノチューブは軽くて丈夫なんですよね。

中須賀　そうですね。それから、宇宙空間に上がっていく乗り物にどうやってエネルギーを供給するのかという問題もあります。レーザーで送るのか、無線で送るのか。それから、大気中にケーブルがあるので、台風がきたらどうするのか。また、飛行機とぶつからないためにどうするのかなど、解決しなければいけない問題はたくさんあります。

瀧口 戸谷先生、いかがですか。宇宙エレベーターができると、先生の研究にも何かいい影響がありますか。

戸谷 あります。というのも、天文観測では地上の大気が邪魔なんです。ですから人工衛星を打ち上げるわけですが、やはり人工衛星は高額だし手間がかかる。しかし宇宙エレベーターができると、大学の小さな研究室の天文学者が作った望遠鏡であっても、格安で宇宙空間に上げてもらえる。すると、また新しい天文学の発見が生まれるような気がしますね。

★14 ［アーサー・C・クラーク］アーサー・チャールズ・クラーク。SF作家。イギリス出身。1917－2008。代表作に『幼年期の終わり』『イルカの島』『2001年宇宙の旅』などがある。アイザック・アシモフ、ロバート・A・ハインラインとともに20世紀を代表するSF作家のビッグ3と呼ばれている。

★15 ［カーボンナノチューブ］カーボン（炭素）ナノ（ナノメートル＝10億分の1メートル）チューブ（筒）。炭素原子で作られたごく小さい筒状の素材。1991年に発見された。髪の毛の5万分の1の細さで、鋼鉄の10倍以上の強度がある。また、真空で2800度まで耐えるといわれていることから宇宙エレベーターの材料として注目されている。

20年経ってもまだ元気！　中須賀研の小型衛星

瀧口　いかに天文台を宇宙に近づけていくか、という天文学上の課題解決に繋がるというわけですね。あと、やはり気になるのが小型衛星のお話なんですけれども……。

中須賀　小型衛星は我々がずっと研究開発してきて、2003年に世界で初めて1kg10㎤の人工衛星を作って打ち上げました。それで半年くらいは活動できるかなと思っていたんですが、20年たった今も元気でまだ写真を撮って送ってくれています。

加藤　2003年って、CPUはようやく「Pentium Ⅲ」（ペンティアムⅢ）が終わる頃ですかね。まだ現役とはすごいですね。

中須賀　実は「マイクロチップ・テクノロジー社」が出している8ビットのPIC（ピック）[★16]というマイクロコントローラーを、その人工衛星に何個か入れておいたんです。1個だと放射線が当たって壊れたらそれで終わってしまうので。そうしたら、それがうまくいったのか、これまでまったく故障がないんですよ。

瀧口　その小型衛星が定期的に地球の写真を撮っているんですか。

中須賀　そうです。静止軌道上にある衛星であれば、地球上の一箇所をずっと見ていられます。

気象衛星「ひまわり」なんかがそうですが、ひまわりは、2・5分に1回、日本近海の写真が撮れます。ところが、問題は地上から高い場所（赤道上空約3万6000km）にあるため、空間分解能があまりよくないんです。

一方で地上から600kmくらいの軌道の低い衛星だと、分解能が静止軌道衛星の60倍くらい高くなるんです。ただし、地球上をクルクル回ってじっとしていられない。例えば、ある場所の写真を撮って、次に同じ場所に帰ってくるのが20日後だったり、ひどい時は40日かかったりする。だから40日に1枚しか写真が撮れない。それだと地球の観測はなかなか難しいですよね。

加藤 分解能というのは、画素数みたいなものですよね。どんなカメラを使っているんですか。

中須賀 分解能は、1画素が何kmに対応しているかですね。使っているのは普通の望遠カメラですよ。

加藤 でも、「ひまわり」くらいになると、そこそこいいカメラを載せているんですよね。

中須賀 それでも、頑張っても1kmくらいの分解能までしかありません。低い軌道だと、僕らの衛星でも2mくらいまで撮れるし、いい衛星は30cmくらいいきますよ。

加藤 「Google Earth（グーグルアース）」なんかも衛星写真なんですか。

中須賀 分解能の高い写真は衛星ではなくて、ほとんどが航空写真です。

江崎 だから、高いところと、ちょっと低めのところ、そしてドローンを組み合わせることで、ビジネスとして成立させているんです。

★16 「PIC（ピック）」「Peripheral Interface Controller」の略。コンピュータ周辺機器の接続部分を制御する集積回路。マイクロコントローラーともいわれる。プログラムの命令数が少ないため、使いやすく安価になっている。

加藤　撮影用の車も走らせていますもんね。

小型衛星が増えると、何が起こるのか

瀧口　今後は小型衛星をたくさん打ち上げていく時代になるということですが、たくさん打ち上げることによってどんなメリットがあるんでしょうか。

中須賀　例えば、地球の写真を撮る時も、低い軌道の衛星だと20日に1回くらいの撮影になってしまうけれども、衛星がたくさんあれば、1日1回とか数時間に1回は撮ることができます。つまり、撮影頻度が上がるというのが1番大きなメリットです。それから「スペースX」社がやっている「スターリンク」は、全部で1万2000基の衛星の打ち上げを目指しています。これによって通信の距離が短くなるので、遅延が少なくなります。

また、電波強度も60倍距離が違うので、3600分の1で済みます。だから非常に弱い電波でも大丈夫です。こういったメリットがあるので、低軌道衛星はすごく意味があるんです。今のところ、静止軌道に置く大きな衛星と低軌道に置く小さな衛星で争いが起こっていますが、将来的には両方残っていくんだろうと思います。

江崎　今の電波の話は原理がわかっていると簡単なんですが、5Gとか6Gは周波数がすごく高

いんです。つまり粒子に近いということなので、障害物にぶつかると届かなくなってしまう。その点、周波数が低いと、たとえ障害物があっても、海の波が回り込んで進んでいくように届いてしまう。空気の厚い地上では電波は届きにくいんです。反対に、宇宙に向かって上空に行くと空気はどんどん薄くなるので、すごく快適に飛んでいきます。すると、そのうちに空気がなくなるから、同じ高さにいても問題なく通信ができる。それならわざわざエネルギーを使って地上で繋がるよりも、空気のない上空で繋がった方が効率いいですよね。

あと、音って球面状に広がるじゃないですか。でも、技術的に頑張るとまっすぐ飛ばせるんです。すると、他の音が聞こえなくなるので、声がクリアになる。そういうのはできるようになると思います。

中須賀　衛星間通信もどんどんできるようになりますから、電波をどこかで上空にあげたら、衛星間で中継して別の場所で地上に降ろすということになるんでしょうね。

天文学者からすると衛星は「ジャマ」？

戸谷　衛星については、天文学をやっている人間からすると、ちょっと心配なことがあるんです。宇宙の星を見るためには、やはり暗いところに行かなきゃダメじゃないですか。明るかったら星は見にくいですから。それと同じように電波で宇宙を見る時に、例えば、携帯電話の電波とかが邪魔になるんですよ。遠い宇宙を観測しようと思ったら、電波的にも静かな環境が必要なんです。

ですから今、スターリンクなどが話題になっていますが、あの衛星も天文観測を邪魔するんじゃないかと、天文業界の人たちはすごく心配しているんです。そうした宇宙の環境保全も考えていただきたいと思っています。

中須賀 それは国連でも取り上げられるぐらい、大きな問題になりつつありますよね。

加藤 「衛星が邪魔だ」という話が、ですか。

中須賀 はい。天体観測を長時間していると、衛星がその前を通過してしまう。これが邪魔なんです。

瀧口 なるほど。衛星がチカチカ光ったりするわけですね。

中須賀 ですから「衛星を黒くして太陽光を反射しないようにしてくれ」といったように、スターリンクが打ち上げを予定している1万2000基の衛星に対する批判がけっこう高まっているんです。

江崎 そこで、さっきの宇宙エレベーターが必要になるんですよ。そうすると「天文台の人たちは全員宇宙に行って、そこで観測してください」などと言われるかもしれない（笑）。宇宙エレベーターができれば、天文学者の人たちは衛星より宇宙に近い場所で観測ができますから。

加藤 衛星よりも上に行きましょうっていう話ですね。

江崎 何なら月に行っていただいて、みたいな。

瀧口 戸谷先生は、月に天文台ができたら行かれたいですか。

戸谷 たまに行くんだったらいいかな。でも、子供の学校はどうしようかな。

江崎 大丈夫です。その時には月に学校作りますから。

瀧口 中須賀先生は宇宙から地球を見たい。戸谷先生は地球から宇宙を見たい。これまではそういう話だったのですが、こうなってくると戸谷先生は……(笑)。

戸谷 地球から出ていけって話ですね(笑)。

瀧口 (笑)。少し話が戻りますが、先ほどの小型衛星が宇宙から写真を送れるようになると、私たちにとって何が便利になるのでしょうか。

中須賀 例えばGoogle Earthみたいな写真は、結構細かいところまで見えるけれども、いつ撮った写真かわかりませんよね。1週間前かもしれないし、1ヵ月前かもしれない。でも、例えば1時間前の写真が見られるようになったら、家の駐車場に車があるから「あ、お父さんが帰ってきてるな」とわかる。そういうことができるようになります。

瀧口 よりリアルタイムに近づくと。

中須賀 ただ、あまりやりすぎると、今度はプライバシーの問題も出てくるので、そのへんは今後、色々と議論しなければいけませんね。

宇宙開発のルールは早い者勝ち？

瀧口　続いてのテーマは、江崎先生の「宇宙開発のルールは早い者勝ち？」です。

江崎　今、宇宙は誰のものかわからないですよね。でも、海は国が持っている海と持っていない海「公海」[★17]がある。領空も一応、高度100㎞までという基準が設けられている。すると今、民間企業や国が打ち上げている高度100㎞以上にある衛星の所有権はどうなるのか。例えば、インターネットはサイバー空間なので国境はありませんよね。もしかしたら、それと同じような状況が宇宙にも当てはまるかもしれない。昔の人類の歴史を紐解いていくと、ヨーロッパ諸国は船でアジアやアフリカに行って、その土地に国旗を立てて自分の土地にしましたよね。そして、自分たちでルールを決めて、先に住んでいた人たちを使役して植民地にしていた。これは、決していいことじゃありません。だから、同じことを宇宙でやらせないようにしなければいけません。それが「宇宙は早い者勝ち？」というテーマの意味なんです。

加藤　現状は、きちんと決まっていないんですか。それとも、暗黙的にでも決まってきているんですか。

江崎　どうなんでしょうか。でも、僕らが子供の頃に見た映像で、月に自国の旗を立てていた国があるじゃないですか。あれは「月は我が国のもの」ということだったんでしょうかね。

加藤 でも、現時点で月は誰のものでもないですよね。

中須賀 誰のものでもないという宇宙法はあります。

加藤 宇宙法という国際的な法律があるんですか。

中須賀 国際的な宇宙法はたくさんあります。ただ、それを批准している国と批准していない国があるんです。批准していない国は従う必要がありませんよね。

江崎 しかもその批准って勝手に破れるんですよね。これが国家主権というやつだから、自国の中はかなり強い規制ができますが、国際的な規制を作るのは難しいんです。では、グローバルな集団が出てくればどうなるか。これがもしかしたら多国籍企業みたいなものかもしれませんね。その中から国と対等に話せる人が出てくると、企業が作った領土は、ジオン公国（機動戦士ガンダム）みたいになるかもしれません。

加藤 『スペースX』は今のところアメリカの企業ですが、イーロン・マスクが宇宙法に従いたくないと思ったら、宇宙法に批准しているアメリカではなく、批准していない国に行くかもしれない。そしてその国から月に行って「ここは俺の土地だ」って言うこともできるわけですよね。

中須賀 そうですね。

江崎 それなら「ここ（月）は我が国です」と言ったら、新しい国ができるわけですかね。

瀧口 フィクションとしては、それがジオン公国ですよね。

★17［公海］どの国の領海にも含まれない海洋のこと。国連海洋法条約では、領海、接続水域、排他的経済水域を除いたすべての海洋としている。公海は、すべての国の船が自由に行き来でき、魚などの水産資源を取ることができる。

戸谷　宇宙国家を作って国民を募集している団体はありませんでしたっけ（Asgardia：アスガルディアという国際的な団体が存在している）。

江崎　それなら、天文学関係の人たちが集まって、月に国を作ればいいんですよ。天体観測の環境として月は最高ですから。

瀧口　だんだん、戸谷先生を宇宙に送ろうみたいな話になっていますね（笑）。

戸谷　立派なスペースコロニーを作ってくれるなら、行ってもいいかもしれません（笑）。

中須賀　さっき、スペースXが海外に行くケースの話がありましたけど、「宇宙資源法」という法律があります。「月や小惑星に行って資源を取ってきた時に、その資源を自分の所有物と考えていい」という内容なのですが、それを定めている国が4ヵ国あるんです。それが、アメリカ、ルクセンブルク、UAE（アラブ首長国連邦）、日本です。

つまり、まさに今「俺たちは宇宙の資源をあなたの所有物と認めるから、うちの国に来て、ビジネスをしてください」という誘致合戦になっている。

加藤　宇宙のものを自分のものとしたければ、この4カ国に来いと。

中須賀　そう国としては認めている。他の国はどうかわかりませんが、少なくとも4ヵ国では合法です。このように企業の誘致合戦が起こっている。これは、なかなか面白いですよね。

加藤　アメリカと日本が、実は裏でタッグを組んでいたりしないんですか。

中須賀　それは、それぞれの国が独立して動いていると思います。例えば日本では、宇宙開発のビジネスをやりたい人たちが一生懸命政府にアピールしています。他方で、ルクセンブルクなんて宇宙開発はほとんどやっていないんです。やっていないけれど、宇宙資源法を認めることで色々な企業が世界中から集まって来る。そして、今後、宇宙産業を国内でやってもらおうというわけです。

瀧口 ルクセンブルクはちょっと意外でしたね。金融分野の強い国ですよね。

宇宙資源は金より高価で売れるかも？

江崎 宇宙から資源を持って帰ってくる側にとっても、金融の仕組みが必要になってくるわけです。資源の所有権をもらって、その資源を売るわけですから。

加藤 何が取れるんでしょう。金よりも高価なものとか？

瀧口 例えばレアメタルなどが宇宙にあったら……。

中須賀 レアメタルは期待されていますよね。もちろん、ゴールドやダイヤモンドなどもあるかもしれない。あと水ですね。水は今ものすごく大事。

江崎 不思議なのは、ダイヤモンドって単なる炭素の塊なんですよ。なんで価値があるのか。宇宙学者からしたら不思議ですよね。

戸谷 炭素は、宇宙にたくさんありますから。

瀧口　じゃあ、ダイヤモンドも宇宙からザクザク取れるんですか。

戸谷　炭素はいっぱいありますけど、それをダイヤモンドにどう加工するのかという、また別の問題が出てきます。

加藤　今のところ、宇宙から帰ってきた人たちが、何か価値のあるものを持って帰ってくる可能性はないんですか。

中須賀　今、言われているのは「月の水」ですよね。水は酸素と水素に分ければ燃料として使えますし、もちろん、飲み水としても必要です。また、次の天体に行くための基地を月に建設するとして、そこで燃料電池を作るのにも必要です。

それから、もうひとつは月の表面にある「ヘリウム3」。これは将来、核融合をやる時に非常にクリーンな核融合ができるといわれている元素で、これを地球に持ってこようという人は結構います。でも、地球まで持ってきて核融合をしなくても、宇宙空間や月でやればいいんじゃないかという話も出ています。燃料として注目されているのは、今のところそれぐらいですかね。

江崎　でも、宇宙空間はほぼ抵抗がないから、小さなエネルギーで長時間スムーズに移動できたり、ブラックホールに近づいてしまった時に引きずり込まれないよう、反対に巨大なエネルギーを使って抵抗する必要があったり、地球上ではちょっと考えられないことが起こりますよね。宇宙空間は地上とはまったく違う物理法則で動くんです。先ほど話に出た衛星などは、すごく小さいエネルギーで動くことができます。

スマホはほぼそのまま衛星に転用できる

中須賀　その意味で、放射線だけちゃんと対応すれば、スマホは衛星として利用できますよ。

瀧口　スマホが衛星になる時代。

加藤　人工衛星を宇宙空間でずっと飛ばし続けるのに、何ワットぐらい必要なんですか。

中須賀　宇宙空間まではロケットで行くのでそのエネルギーは別として、宇宙空間に行った後に動くため、つまり写真を撮ってコンピュータを何台か動かして、地球と通信をするために使う電力ということですよね。我々の最初の1kgの衛星では、使っていた電力はどれくらいだと思います？

加藤　不正解だと思いますけど、1ワットくらいですか。

中須賀　ほぼ正解です。0・8ワットくらいです。10㎝立方の人工衛星に貼ることのできる太陽光パネルの面積が限られているので、それ以上は電力が取れないんです。反対に言うと、0・8ワットですべての作業ができるように設計するんです。

加藤　人工衛星で一番重要な機能は、カメラですか。

中須賀　一番重要なのは通信ですね。やはり、宇宙空間と地上で作業をする場合、人工衛星から情報が送られてこなければ何をやっているかわかりませんから。

加藤　じゃあ、通信が絶対に必要なもので、次に重要なのがカメラですか。

中須賀　そうですね。

江崎　今後はたぶん、色々な使い方をみんなが考えますよね。だって、たくさんの衛星が協力しあって多様なデータを取ったり与えたりできるわけじゃないですか。そのデータは画像でなくても、赤外線でもいいわけですよね。もしかしたら、音声データかもしれない。そうすると、いろんな使い方が想定できますよね。

瀧口　小型衛星のカメラは、地球ではなく宇宙に向けての観測も行っているんですか。

中須賀　それは、もういっぱいやっていますよ。天文台と組んで星の地図を作ろうとか。大きな望遠鏡を作るには、１兆円くらいのお金がかかるので、代わりに小さな衛星を空間に配置して、ひとつの大きな望遠鏡にする。これを「フォーメーションフライト」というんですけど、そういったことをやっていこうとしています。莫大なお金は必要なくて、様々な観測要求に応えられるので、色々な人が宇宙観測をできるような世界を作っていく。それが今、僕らが宇宙科学者と狙っているところです。

加藤　ちなみに、その１兆円の望遠鏡って、なんでそんなに高額なんですか。

戸谷　例えば、直径６ｍくらいのお椀型の鏡の望遠鏡は地上でもわりと大きい方なんですが、それを宇宙にまで持っていって衛星軌道に乗せるのは技術的にものすごく大変なんです。

加藤　なるほど。だから、それをいかにして小型でやるかということですね。

中須賀 そう。小型分散型で大きな望遠鏡の代わりをどうやってするのかが、これからの腕の見せどころですね。

戸谷 ちなみに、地球でみんなが使っているスマホによって宇宙を観測しようというアイデアもあるんですよ。「宇宙線」という高エネルギーの放射線があるんですが、宇宙線は宇宙から地球にたくさん降り注いでいます。その中で特に高エネルギーの粒子が、時々やってきているんです。この高エネルギーの宇宙線は、どういう天体が出しているのかまったくわかっていないんですね。そして、この宇宙線はスマホでも感知できます。

ですから、非常にレアなイベントになりますが、全世界のスマホでその宇宙線を記録してもらって、それをどこかの情報センターに集めれば、宇宙の謎が解けるかもしれない。そんなアイデアがあるんです。

江崎 これまでデータを取った人には所有権があって、そのデータは公開されませんでしたよね。でも、そもそもみんなでデータを集めるとなると、所有権の意味合いも変わっていくわけです。所有権だけでなく、発見者の定義も変わるかもしれないですね。

瀧口 「この場合は誰の所有権になるのか」という問いへの答えが、「みんなのもの」になるわけですね。

戸谷 実際、大きな望遠鏡になると世界中が協力して作るので、「これはみんなで作った望遠鏡だから、データを取ったら即座に世界に公開して、世界中の天文学者が使えるようにする」というのが、今後のひとつの流れですね。

ダークマターで宇宙の謎が解ける

瀧口　続いてのテーマは、戸谷先生からいただいた「ダークマターで宇宙の謎が解ける」です。「ダークマター」という言葉を聞いたこと自体はありますが、一体何なのでしょうか。

戸谷　これは、天文学でもわりと古くからの謎なんです。ダークマターの存在は数十年前から知られていますが、未だに正体はわかっていません。

銀河系の星の運動を見ると、星の受けている重力がわかります。すると、その重力を発揮しているモノがあるとわかるわけです。そして、その星の運動から銀河系全体の質量を計算すると、光って見えている星の質量のざっと10倍くらいになります。これは、目に見えない物質があるということを意味します。では、それはどんな物質なのかということが、まだまったくわかってないんです。ただ、色々な宇宙論的なデータを総合すると、どうも未知の素粒子です。つまり、我々の知っている原子核とか電子とか、既知の粒子ではないらしい。そうなると、今の素粒子の標準理論にまだない未知の粒子ということになります。そして、ダークマター粒子は銀河系全体を満たしているので、この部屋の中にもダークマター粒子がいっぱい飛び交っているということになります。

瀧口 この部屋にも！ 宇宙の話かと思っていたら、意外と身近な話なんですね。

戸谷 アイザック・ニュートン[★18]やアルベルト・アインシュタイン[★19]が発見した物理法則に当てはめて考えると、「今、光っている星の数を足すとこれくらいの重力が発生しているだろう」という数字が出てくるんですが、実際の星の動きを見ると、その10倍くらい足りていないんです。だから、何か重力に関わっている物質があるはずなんだけれども、人類の知っている元素では説明がつかない。

一番単純な考え方は、何か未知のものがあってそれが重力を発揮している、という考え方です。そして、もうひとつの可能性は「銀河系ぐらい大きなスケールになると、重力の法則が地球や太陽系のものとは違っていて、法則を変えることで解決できるのではないか」というもの。これは何十年も前からあった考え方で、色々と試してみたんですが、やはりうまくいかなかった。それで、やはり未知の物質があって、それが重力源として存在しているという考え方に戻ったものの、その粒子がなんなのかはわからないということになっています。

★18 「アイザック・ニュートン」 数学者・物理学者・天文学者。イギリス出身。1643―1727。「慣性の法則（外部から力を受けない限り止まっているものは止まったまま、動いているものは同じ速さで動き続ける）」「運動方程式（「F=ma」 物体が受ける力は、質量と加速度によって決まる）」「作用・反作用の法則（物体Aから物体Bに力を加えると、物体Aは物体Bから逆向きの同じ力を受けることになる）」「万有引力の法則（質量を持つふたつの物体の間には引力が働く）」 などの物理法則を発見した。

★19 「アルベルト・アインシュタイン」 物理学者。ドイツ出身。1879―1955。「重力の影響を受けない状態では、光の速さは一定で時間や空間のほうが相対的に変化する」という「特殊相対性理論」や「重力は空間を歪める」など「一般相対性理論」を提唱した。またエネルギーから物質を引き出すことができ、物質からもエネルギーを引き出すことができるという「$E=mc^2$」数式も示した。

瀧口　そのダークマターが私たちの近くにもあるということは、知らないうちに人体に何かしらの影響を与えている可能性もあるということですか。

戸谷　可能性はゼロではないんですけど、もし、我々の体に影響があるとすると、これだけ精密な物理実験をやっているので、ダークマター粒子と検出器がぶつかる現象があると思うんです。それがまったく引っかからない。おそらく似た例として挙げられるのは、ニュートリノ[20]です。2002年にノーベル物理学賞を受賞した小柴昌俊[21]東京大学特別栄誉教授が、初めて超新星からやってきたニュートリノの観測に成功しました。ニュートリノは、物質とほとんど相互作用しません。我々の体をスカスカ通り抜けてしまうんです。

加藤　もしかしたら、ダークマターと近いかもしれないですね。そのニュートリノを小柴先生たちはなぜ見つけようと思ったんですか。

戸谷　もともと「原子核のベータ崩壊」という、原子核から素粒子が飛び出してくる現象があるんです。その飛び出た粒子を全部足したんですが、エネルギーが足りなかった。それで「出てきたエネルギーを全部足せば同じエネルギーになるはずなのに、エネルギーが保存されなかった。ということは、見えない粒子がどこかに抜けていったんじゃないか」と予想しました。そして、実験で実際に見つかったのがニュートリノだったというわけです。

加藤　それは、どういう手法で見つけたんですか。

戸谷　ニュートリノはスカスカと通り抜けてしまうので、超巨大な検出器が必要です。巨大な水タンクを用意しておいて、ニュートリノがやってきた時にその中の水分子1個とたまたま反応するのを待つ。ニュートリノが反応すると、ニュートリノは高エネルギーを持っているので、電子が弾かれて水の中を走ります。すると、光が出るんです。その光を光センサーで受信します。

加藤 ということは、同じようなことをやると、もしかしたら「これダークマターじゃない？」という現象が見つかるかもしれないですね。

もし解明できたら、ノーベル賞10個分の価値？

瀧口 ダークマターが解明された時、何が起こるのでしょうか。

戸谷 ダークマターは、我々の知っている物質より10倍多い宇宙の主成分です。宇宙の物質の主成分がわかるということは、それだけで素晴らしいことです。そしてそれはおそらく未知の素粒子なので、我々の持っている基礎物理法則の素粒子理論が書き換わります。これはノーベル賞10個分ぐらいの価値があると思います。新たな物理法則を知ることができるということです。

★20［ニュートリノ］これ以上細かくできないと考えられている素粒子のひとつ。同じ素粒子である電子の100分の1よりも軽いと言われている。また、大きさは人間の1億分の1の、1億分の1のさらに1億分の1で、ニュートリノを1㎜とすると人間の体は銀河系ほどになる。

★21［小柴昌俊］物理学者。愛知県出身。1926―2020。東京大学特別栄誉教授・名誉教授、東海大学特別栄誉教授などを歴任、1987年に太陽系外で発生したニュートリノを初めて観測し、ニュートリノ天文学を開拓。2002年にはノーベル物理学賞を受賞。

瀧口　ダークマターから、新たなエネルギーを抽出することができるかもしれませんね。

戸谷　可能性はあります。原子核反応も、最初は物理学者が純粋な知的興味で調べていました。それが、高エネルギーを出すということで工学的な応用が進んでいった。ですから、ダークマターとは何かがわかると工学的な応用に進んでいく可能性はあります。

江崎　ダークマターというのは均一に存在しているのですか、それとも偏って存在しているのですか。

戸谷　全宇宙には銀河がいっぱいありますよね。あの銀河は偏って存在しています。逆に言うと、銀河が偏ってできるのはダークマターがあるからなんです。ビッグバン[22]から宇宙が始まって、最初は均等に広がっていました。ところが、ダークマターの重力によってだんだん偏ってきて、そこでガスが冷えて星が生まれ、銀河が生まれて、我々がここにいます。すべてダークマターの影響なんです。ですから宇宙全体で見ると、銀河のあるところにダークマターが密集しています。

中須賀　要するに、物質的なものはあるけれども、我々には観測の手段がないから見えていないという理解でいいですか。

戸谷　その通りです。先ほどのニュートリノも、「スーパーカミオカンデ」という巨大な検出器を作って、やっとなんとか見える程度です。ですから、ダークマター粒子も、おそらく銀河系中心のダークマター粒子が密集しているところでは、ダークマター粒子同士がぶつかって、ガンマ線などの高エネルギー粒子が生成されている可能性が考えられます。それを検出しようと一生懸命に観測しているんですが、今のところダークマターらしい痕跡を我々はつかんでいません。

瀧口 でも、観測設備が整えば見つかるかもしれないですよね。

中須賀 それは衛星でやりたいですよね。

江崎 そうですね。空気中だとノイズがありすぎて取りにくいのかもしれないので、宇宙のほうがやりやすいかもしれない。

中須賀 それも一基でなくて、たくさんの人工衛星を使った合わせ技の観測がいいのかもしれません。

加藤 つまり「スーパーカミオカンデ・イン・ザ・スペース」みたいなものを作るということですね。

瀧口 このダークマターは、今は謎の存在ですけど、種類がひとつじゃなくて、いくつかある可能性もあるんですか。

戸谷 可能性としてはゼロではないです。例えば、我々の知っている元素にも炭素とか酸素とか、色々な種類があります。それと同じようにダークマターも色々な種類があるかもしれません。ただ、残念ながら今のところはまったくわかりません。

★22 「ビッグバン」 宇宙は、約138億年前に非常に高温で非常に高圧の火の玉が大爆発（ビッグバン）することで始まった。そして、その爆発が膨張することで低温化し、低密度になっていったという理論。

宇宙の膨張を加速させる「ダークエネルギー」

瀧口　そして、このダークマターと似た言葉で「ダークエネルギー」というのがありますが、これはどういうものなのでしょうか。

戸谷　ダークマターは数十年前からの謎ですが、ダークエネルギーは2000年代に入ってから注目されてきた、比較的新しい謎です。ダークエネルギーには、重力に反発して宇宙の膨張を速める効果がある。つまり、宇宙は相対性理論で考えると膨張しているけれど、内側に物質が詰まっているから、それらが発する重力によって、膨張する力は落ちて減速するはずなんです。でも、最近の精密観測によると、宇宙の膨張はこれまでは減速していたけれども、今は加速に転じつつある。

瀧口　宇宙の膨張が加速している。

戸谷　はい。減速が終わって今から加速に転じようとしているところなんです。では、加速に転じさせるものは何かというと、今の我々が知っている物理法則にはないんですよ。しかし、アインシュタインの宇宙の方程式にある定数を入れると、うまく説明できるんです。ただ、その定数がどういう意味を持っているのかがわからない。ですから、宇宙の膨張を加速させる未知のエネルギーということで「ダークエネルギー」と呼んでいます。

瀧口 そもそも、宇宙が膨張しているというのはどういう現象なんですか。

戸谷 太陽のような星が1000億個くらい集まったのが、我々の住んでいる銀河系です。さらにその外を見ると、銀河系と同じような銀河が宇宙には散らばっているわけです。で、散らばっている銀河を俯瞰してみると、どうやら宇宙というのは全体が広がってサイズが大きくなっているらしい、ということです。

加藤 つまり、銀河の動きを観測するとだんだん遠くに行っているようだけど、その遠くに行くスピードがちょっとずつ遅くなっている。だから、膨張は少しずつ遅くなっている、という話だったのが、2000年くらいから「あれ？ なんかあの銀河、やたら離れて行ってない？」と気づいた、みたいな感じなんですか。

戸谷 宇宙全体では、遠くの銀河ほど我々から速く遠ざかります。例えば我々が話しているこの部屋に複数人の人が座っていますが、仮にこの部屋がぐっと引き延ばされたとすると、私から見て遠くにいる人ほど速いスピードで離れていきますよね。反対に、私より近い人はゆっくり離れていく。宇宙でもそれが起きていて、我々から遠い銀河を観測すると、我々から常に遠ざかっています。しかも遠ざかる速度が、遠い銀河ほど、比例して速く遠ざかっている。宇宙が膨張していると考えると、それが合理的に説明できるんです。

瀧口 なるほど。

戸谷 これを、1930年代にエドウィン・ハッブル[★23]という天文学者が発見しました。そして、宇宙で遠くを見るということは、過去を見るということです（例：いま私たちが見ている太陽は8分前の姿である、など）。ですから、遠くの銀河や近くの銀河など色々な距離のものを測ると、昔の宇宙の膨張の速度がわかるんです。すると、宇宙の膨張が時間とともにどう変わってきたのかもわかります。これまでは減速していたのに最近は加速に転じているということも、それでわかった。

中須賀　最初からずっと加速していたわけじゃなくて、一度、減速したというのがすごいですよね。

戸谷　それが謎なんです。すごく不自然なんです。宇宙が始まって138億年ですが、ちょうど我々が住んでいるこの時代に、アインシュタインの導入した宇宙定数が効果を持ち始めて、減速から加速に転じている。

瀧口　宇宙にとっての大切な時期に、たまたま私たちが生きているということですか。

戸谷　たまたま運がいいのか……。宇宙の長い歴史の中で、減速から加速に転じているところに、我々が住み合わせる必然性はまったくないんですよ。もっと昔に起きてもいいし、もっと将来でもいい。

中須賀　それは観測方式を今の我々が見つけたからわかった、ということではないんですか。現象としてそうなっているということですか。

戸谷　これを見つけられたのは近年の天文学の発展のおかげですが、それとは別の話で、減速から加速に転じるちょうど宇宙史的な境目の時代（宇宙誕生から100億年程度）に我々が住んでいる、という意味です。それが物理現象として不自然なんです。

アインシュタインの凄さと、その限界とは

加藤 これ、今の時代にアインシュタインがいたら、解いてくれる可能性はあるんですかね。

戸谷 実は、アインシュタインが生きていた頃から減速から加速に転じているんです。ただ、アインシュタインの時代は観測技術がなかったから、それがわからなかったんです。

加藤 そういう話を聞いていると、アインシュタインは本当に天才だったんだなと思います。だって、観測技術がない時代にアインシュタインが考えたもので、今の物理法則のほとんどを説明できるわけですよね。

戸谷 最近話題になっている重力波[★24]も、アインシュタインが予想したものです。ですから、我々はアインシュタインの法則が正しいということを、この100年間、確認し続けているんですね。

★23 「エドウィン・ハッブル」天文学者。アメリカ出身。1889―1953。銀河系以外にも銀河が存在することを発見し、遠い銀河ほどより速く遠ざかっているという法則（ハッブルの法則）を発見した。このことにより、宇宙は膨張しているということが明らかになった。

★24 「重力波」アインシュタインは「質量を持った物体があると時空に歪みができ、その物体が運動すると時空の歪みが光速で移動する」と考えた。その歪みの波が重力波で、2015年にアメリカのチームが重力波の検出に成功した。

瀧口　アインシュタインの相対性理論に限界はないんですか。

戸谷　ダークエネルギーがまさにひとつの限界かもしれません。つまり、ダークエネルギーの正体はよくわからないけれども、あのアインシュタインの方程式に、なにか定数を入れないと説明できない。ただ、すごく不自然な値を入れるので、もしかしたら、そもそもアインシュタインの相対性理論を宇宙全体に適用するのは、やはり不十分なのかもしれない。

なので、ダークマターを説明するためにニュートンの重力理論を修正しようという話がありました。これはうまくいかなかったけど、同じように、ダークエネルギーを導入する代わりにアインシュタインの相対性理論をより高度なものに変えよう、という試みもされています。

加藤　その定数というのは、どんなものなんですか。

戸谷　それ自体は、数学的には誰でもすぐに思いつくんです。それで、アインシュタインは一度、その定数を入れたんですが「やっぱり、これいらない」といって外しています。その定数を入れると、「静止している宇宙」という解が可能になるんです。でも観測技術がなかった当時、宇宙が実際に膨張していることがわからなくて、アインシュタインも「宇宙が膨張しているわけがない。宇宙は膨張もせず収縮もせず静止している」と思っていた。でも、自分の作った方程式を使うと宇宙は膨張してしまうので、静止した宇宙を作るために方程式を修正したんです。そして、その数年後にハッブルが、宇宙が膨張していることを発見する。それで、アインシュタインは「やっぱり俺の最初の方程式でよかったんだ」と考えたわけです。

それまで彼は、宇宙定数を強引に入れたことは自分の生涯でも最大の過ちだと言っていました。

そのあと、宇宙定数は不要だと思っていたのに、2000年以降になって精密な観測をしてみると、やっぱりアインシュタインの宇宙定数を入れないと計算が合わない、と判明しました。やっぱりアインシュタインは偉いんです。

加藤 すごいですね。ということは、現代は数学者や物理学者にとっては一発当てるチャンスですよね。相対性理論では説明しにくいことが現実的に観測されている。だから「それを証明しよう」という意欲がわきますもん。

戸谷 既存の法則では説明できないことを明らかにできたら、うれしいことですね。アインシュタインの方程式で全部が説明できてしまったら、我々の仕事がなくなっちゃいます（笑）。

加藤 ダークエネルギーが解明できたら、ノーベル賞ですもんね。

江崎 戸谷先生の場合、ノーベル賞が取れる取れないというより、とにかく原理を解明したいんですよ。それに全力でエネルギーを注いでいる点はすごいと思いますね。上を向いて、宇宙を向いて頑張ってほしいと思います。

人が宇宙を目指すのは、〇〇のため

瀧口 続いてのテーマは、中須賀先生の「人はなぜ宇宙を目指すのか。それは〇〇のため」ということですが、この○○はなんでしょう。

中須賀　それは〝エントロピーを下げるため〟です。エントロピーには熱力学的エントロピーと情報論的エントロピーがありますが、どちらも意味としては「乱雑さ」のことです。きっちりしていない、バラバラで先読みもできないような状況が「エントロピーが高い」状態です。逆に、次にどうなるかがわかって、ちゃんと構造化されて、きっちりと整理整頓されている状態が「エントロピーの低い」状態です。

地球は、エントロピーがどんどん高い方に行っているように感じるんですよね。例えば、家の中で生活していても、きちんと片付けていればいいけれど、使ったものをその辺に置いておくと、だんだん乱雑になっていきます。これと同じように石油や石炭などの化石燃料は、ぐっと縮まったところにエントロピーが低いものを燃やすことで、エネルギーを作り出しますよね。そうすると、CO_2（二酸化炭素）がいっぱい出る。これも、まさにエントロピーが増大していくプロセスです。

瀧口　すごくわかりやすいです。

中須賀　エントロピーで大事なことは、閉鎖環境においてどんな活動をしても必ずエントロピーが増えるということで、これが熱力学の第二法則なんです。例えば、再生紙。パルプを使って紙を作ります。そして、できた紙を使い終わったら捨てます。その捨てた紙を使って新しい紙を作ります。これは、紙という世界の中だけならいいことが起こっているけれども、そのためにものすごくたくさんのエネルギーを使ったり、廃棄物を作ったりしているかもしれない。結局、トータルのエントロピーは増えているんです。

ローカルではエントロピーが下がっているように見えるけれども、トータルで見るとエントロピーは増えている。すると、どんな作業をしてもエントロピーは増えるのだから、何もしないのが一番いい。でも、現実的にそうはいかないわけです。だから、地球という閉鎖環境におけるエントロピーはどんどん増えていく。実は、これで色々な現象の説明がつきます。例えば、国内で産業がうまくいかず失業率が増える。すると、人々の気持ちは不安になる。これは人の心の中のエントロピーが上がっている状態です。

瀧口 たしかに、乱雑さが上がっていますよね。

中須賀 そのため犯罪が増えて国内があまりうまくいかなくなる。では、国内にエントロピーが増えてきたら、それを下げる方法は何があると思いますか。

瀧口 なんでしょう。外に向かって広げていく?

中須賀 外に向かって広げるっていうことは、「国外にエントロピーを撒き散らすことで、国内のエントロピーを下げる」ということですね。では、それは何かというと「戦争」です。戦争をすると、国内のエントロピーが下がります。軍事産業が盛んになれば失業率も下がります。でも、外にエントロピーを撒き散らしているので、トータルで考えるとエントロピーは確実に増えています。

反対にエントロピーが下がるプロセスは何かというと、それは例えば、「子供の成長」です。なぜかというと、成長して知識が増えていくと、何がどうなるかがわかっていく。先読みができるようになるんです。その場合でも、子供の周りを含めたトータルのエントロピーは増えなければいけません。では、子供の周りでエントロピーが増えるというのはどういうことか。

瀧口　子供の周りが乱雑になるということですよね。

中須賀　そう。子供は、物をいっぱい壊しますよね。そこではエントロピーは上がっている。逆に子供は物を壊すことで、自分の中のエントロピーを下げているんです。壊すことで何かがわかったりする。だから、子供が何かを壊し始めた時にダメだと言ってはいけない。それは子供の成長を止めることになります。

あらゆる分野を説明可能なエントロピー

中須賀　そうやって考えるとエントロピーというのは、色々なことを説明するのにすごく適切な表現になっている。例えば、地球温暖化の問題やマイクロプラスチックの問題などは、みんなエントロピー増大の法則で説明がつくんです。

瀧口　人が活動することによって、地球全体が乱雑になるということですね。

中須賀　はい。このように「閉鎖系のエントロピーは絶対に増える」という前提で考えると、閉鎖系であることそのものが問題になります。つまり、地球を閉鎖系ではなくて開放系にしないといけない。開放系というのは何かというと、別の世界とエネルギーやエントロピーのやり取りができるようになるということです。それが宇宙開発の究極の目的だと思います。人間はエントロピーが増えることにすごく敏感です。私は、例えば先ほど言ったように、国内の失業率が増えたり、いろんなことが不安になったりするのは、それを感じているからです。家の中が乱雑になっていると気持ち悪いじゃないですか。これも同じです。

だから、日本や地球の中でエントロピーが増えていると感じている我々は「これはいけない。宇宙と繋がらなきゃいけない」「エントロピーを開放しなきゃいけない」と思って宇宙開発をやる。それが、宇宙に出て行きたくなる人間の最大のマインドではないでしょうか。

加藤 地球を我が家だとすると、「ちょっと空気悪くなったな。窓を開けるか」みたいな感じですか。

中須賀 そうですね。そういう気持ちが人間にあるから、みんな宇宙に行きたいと思うんじゃないでしょうか。

瀧口 先ほどの、部屋が汚くなる話と地球が汚くなる話は相似系なんですね。内が乱雑だったら外に出よう、ということで宇宙に行くと。

中須賀 どんな作業をしてもエントロピーが増えるとしたら、閉鎖系では最後はエントロピーが一番高い状態になる。これは死の状態ですね。先読みが何もできなくて、超混雑している状態。それに向かって社会全体が進んでいるなら、なんとかして外に撒き散らさなければいけない。例えば、核廃棄物を宇宙に持っていくという話もよくあります。これが倫理的にどうかということは別にして、地球の中で処理できないエントロピーを宇宙に捨てるということで、地球のエントロピーを下げるというアクションでもあるわけですよね。

加藤　仮に宇宙戦争が起きるとすると、それはおそらく地球での戦争はもうなくなっている状態だろうということですかね。

中須賀　なくなっていると思います。

江崎　もうひとつ、経済原理としても「拡大するところでサステナブル（持続可能）になる」んです。「閉じている場所」という制約があると、経済成長は難しい。デジタルという空間が成長領域になったのは、それが無限に広がる空間だからです。これまでは地球という物理的に閉じている空間でしたが、宇宙という無限に広がる空間が出てくると、そこは成長できる領域なので、サステナビリティが出てくるんです。そうすることによって閉塞感がなくなり、次のステップが踏める。

瀧口　なるほど。企業にとっては、デジタルの世界を開拓していくのと同じように宇宙の世界を開拓していくわけですね。

江崎　でも、それはもうずっと昔からいろんなところにあった物理法則ですよね。

中須賀　そうですね。

江崎　閉じない形にしないと成長できません。

戸谷　そもそも、生命そのものがエントロピーを下げていますから。エルヴィン・シュレーディンガー[★25]は「生命は負のエントロピーを食べて生きている」と言いました。要するに、我々の体はしっかりした構造があって、形が保たれています。でも、死んだら腐ってバラバラになる。それが、エントロピーが上がるということ。そうならないように、常にきっちりした体を維持して、体の中ですごく整然とした化学反応を起こしている。これは、エントロピーがすごく低い状態です。でも、トータルのエントロピーは絶対に増えなければいけないので、生物はエントロピーを外に捨てることになります。生命が知的生命体に進化して、その知的生命体が今、文明を作っている。この文明はエントロピーを下げている状況なので、地球の文明がどんどん発展していくと、いずれ外に、宇宙にエントロピーを捨てなければいけなくなる。文明が発展すると、必然として宇宙に行かなければいけなくなるというのはとても腑に落ちる話です。

加藤 具体的には、例えば「宇宙の空間を使って通信ができるようになる」とか「地球上に存在しない物質が見つかって使えるようになる」とか「地球の中での活動が減って、どんどん宇宙に広がっていく」という感じなのでしょうか。

中須賀 例えば何か新しい粒子が見つかって、地球上での生活が良くなるかもしれないということは、地球の情報論的エントロピーが下がるわけですよね。宇宙で発見したものが、地球のエントロピーを下げることに貢献する。だから、情報を知る場としても宇宙は大事です。地球上では得られない情報が宇宙から得られるかもしれない。

瀧口 「情報を知ることはエントロピーを下げること」だと。

★25 「エルヴィン・シュレーディンガー」 物理学者。オーストリア出身。1887―1961。波動力学を確立したほか、量子力学論の発展にも貢献し、1933年にノーベル物理学賞を受賞した。著書の『生命とは何か』で、「生物は生きるために環境から負のエントロピーを摂取している」と説明した。

中須賀　そうです。だって、知ることで先読みができるようになるわけですから、エントロピーが下がる。そういう知の地平を広げるという目的として宇宙は大事。

江崎　でも、人間はわがままだから、みんなが知ってしまうことで共通のものになるのを嫌がって、そうでない状態を作りたくなりますよね。

瀧口　宇宙が民主化されて民間企業が出ていったとして、そこで得た情報を彼らが簡単に全人類にシェアするわけがない、ということですか。

江崎　そう。情報をシェアするというのが望ましい方向性なんですが、それに逆らってしまいたくなりますよね。

瀧口　それが人間ということですね。

宇宙版GAFAは出てくるのか

瀧口　ところで、先ほど「宇宙が民主化されていく」というテーマがありましたが、宇宙版GAFAみたいな存在は出てくるのでしょうか。

中須賀　出てくると思います。GAFAは成長してどんどん情報を集め、集めた情報がさらに情報を集める力になっています。それは宇宙事業においても同じだと思います。今「スペースX」

が安いロケットを作っていますよね。それでお客さんがたくさん増えると、さらに打ち上げの回数が増えるのでまた安くなるわけです。だから「Winner takes all（ひとり勝ち）」になりやすい。宇宙版GAFAが出てくる可能性は十分にあると思います。

瀧口 情報や知見が先行者にどんどん溜まっていくと。

中須賀 そうですね。先行者特権。そして、お客さんも集まってくる。

戸谷 実際に宇宙版GAFAができた時に、宇宙政府のような組織、例えば地球連邦政府ができているかもしれないですよね。もしくは、政府がない状態か。

瀧口 GAFAが国を作っている可能性も高いかもしれませんね。

中須賀 国という概念がどうなっているかですよね。もうITやネットの世界では、国という概念がだいぶ変わってきました。同じようなことが、宇宙という舞台で起こる可能性は十分にあります。

加藤 スペースXと平均的な民間の航空宇宙企業では、どれくらい差があるんですか。

中須賀 平均的な民間企業がスペースXに追いつくのは、相当きついと思います。もう独走状態ですよ。完全に「Winner takes all」状態です。

加藤 もはや、NASAも「スペースXよろ、全部任せるよ」みたいな感じなんですか（笑）。

中須賀 NASAがどういう戦略をとったかというと、何社か選んで競争させたんです。なんのための競争かというと、宇宙ステーションに宇宙飛行士を運ぶための宇宙船を作る企業を選ぶためです。そこで最終的にスペースXが勝ったんです。だから、国としてもスペースXを全面支援せざるを得ない。何より、スペースXが強くなることがアメリカが強くなることであり、政府が安いお金でロケットの打ち上げ手段を手に入れることなんです。

加藤　スペースXが強くなれば、アメリカも強くなる。

中須賀　そう。両者の思惑が一致して、完全に団結して動いている状態です。

瀧口　宇宙版GAFAができるとしたら、日本企業はそこにどう絡んでいけるのでしょうか。

中須賀　それは、内閣府の「宇宙政策委員会」[★26]でも色々議論しているんですが、今のところはなかなか難しいです。でも、ひとつでもふたつでも日本が主導権を握れるものを作っていかなければいけない。私はそれをピンポイントで探していく必要があると思います。

加藤　中須賀先生の教え子さんたちには、スタートアップ企業を立ち上げたりしている方もいるじゃないですか。スペースXも元はベンチャーであることを考えると、やはりベンチャーが先に動いて、その後に大企業が「これだったらビジネスになる」とか「うちもできる」と判断して、ついていく流れが多いんですか。

中須賀　明らかにそうだと思います。スタートアップで大事なのはスピード感です。スピードが命で、とにかくどんどん実証して技術を示していかなければいけない。その速さに僕らも期待しているわけです。しかもベンチャーはたくさん出てきています。よく言われるのは、創業して10年後に残っているベンチャーは1割くらい。でもそのぶん、生き残ったところは強い。

加藤　やっぱり宇宙開発のためには、大手企業に動いてもらうというより、スタートアップが色々なことをやって、スピード感を持って最短を目指すのがいいんですか。

中須賀 大企業はそのスピード感がないですよね。プロジェクトを起こすための承認プロセスがすごくかかるから。でも、もうそんなのでは間に合いません。

加藤 日本は今、民間企業が衛星を打ち上げているんでしたっけ。ポイントになるテクノロジーとしては、やはり「宇宙に行く」ことが大事なんですか。

中須賀 「宇宙に行く」のは大事ですね。ただ、今は宇宙に行くまでのコストが高いんです。だから、宇宙でやることは全部コストが高くなってしまう。ここが安くなれば、ものすごく変わると思います。その究極が宇宙エレベーターなんですよ。実現すればコストがかなり安くなるから、宇宙行きが非常に楽になります。

瀧口 じゃあ、今は「スペースX」一強みたいになっていますけれども、そのゲームチェンジとなるのが宇宙エレベーターの登場かもしれないと。

中須賀 そうですね。ただ、だいぶ先だとは思いますけど。

江崎 僕自身は、それほど日本の未来を心配していません。テクノロジーはどんどん民主化しつつあります。中須賀先生たちが頑張って最新の技術を手に入れれば、GAFAと同じくらいのインパクトを、より小さな資源で実現可能になるでしょう。

さらに言えば、近年はGAFAのある会社は皆さんの信用を得なくなりつつありますよね。その状態が進むと、彼らのビジネスも成立しなくなります。だから、GAFAのサービスはありがたく使わせていただいた上で、GAFA以外の人たちが新しい技術を作ればいいじゃないですか。

★26 ［宇宙政策委員会］ 2012年に宇宙開発戦略本部の下に置かれた、内閣総理大臣の諮問機関。日本の宇宙政策を効率的、効果的に進めるために調査や審議を行う。学者や宇宙飛行士経験者などで構成されている。

人類は、そういったことを繰り返して発展してきたんです。テクノロジーが進歩していけば、状況を変えられるパワーが必ず出てきますよ。

人工冬眠で人間はどこまでもいける

瀧口 では、続いてのテーマは江崎先生の「人工冬眠で人間はどこまでもいける」です。

江崎 太陽系から最も近い地球によく似た星が4光年先にあるということですが、4光年という光の速度でも4年かかるんですね。先ほど、宇宙空間は抵抗がないからすごく速く動けますという話がありましたが、光のスピードは超えられないですよね。

戸谷 そうですね。光の速度はさすがに超えられないです。

江崎 すると、遠くに行こうとするとやはり「時間との戦い」になってしまう。では、宇宙旅行をする時に僕らはどうすればいいのか。それを考えると、やはり冬眠したいですよね。実は、人類は冬眠するテクノロジーを手に入れつつあるんです。冬眠できると月のような近いところだけでなく、もっと遠くに行ける。太陽系から最も近い、地球によく似た星に行けるかもしれないということです。

瀧口 宇宙旅行が出てくるSF映画で、カプセルに入って凍結されてるようなシーンがありますが、あんなイメージですか。

加藤　僕がもし4光年先の星に行こうとすると、大きく3種類の方法があると思うんですよ。ひとつは今お話に出ている「冬眠」系、つまり細胞の動きを止めて時間の経過をなかったことにするパターン。もうひとつは「老化を防ぐ」。あとは暦本先生が言っていた「コピー」ですね。「コピーといっても、死んでるじゃないか」と思いつつも、デジタルデータで記憶も含めて人生の続きができるということです。この3つをイメージしたんですが、どれがいいんですかね。

中須賀　現実としては、アメリカにはもう人工冬眠を事業にした会社がありますよね。生きているうちに契約をして、死にそうになったらすぐに人工冬眠の機械に入れてもらう。もしかしたら1000年後にはテクノロジーが進化して自分の病気を治してくれるかもしれないということで、人工冬眠に入るわけです。

瀧口　映画の中でそういう設定を見たことがあります。

中須賀　それがリアルになる。どうやってその人を復活させるかは、今の技術では無理だから将来に任せる。

瀧口　リスクが気になりますよね。

中須賀　でも、どうせ死ぬんだから、それぐらい夢があった方が楽しみじゃない。

戸谷　人工冬眠が面白いのは、遠くに行く手段だけではなく、未来に行く手段でもあることですよね。その意味で科学者は、人工冬眠したいという人がわりと多く出てくるんじゃないでしょうか。なぜかというと、例えば先ほど話に出たダークエネルギーの謎を知りたいと思うからです。

我々は熱意を持って研究していますが、ダークエネルギーは100年後でも解明されているかどうかわからない。それでも、どうしても知りたいと思ったら、もう人工冬眠して200年後に起こしてもらえば、ダークエネルギーが解明されているかもしれない。だから、死ぬ前に人工冬眠する科学者が結構出てくるような気がします。

瀧口　面白いですね。まず、科学者の間で人工冬眠が流行るかもしれない。

江崎　面白いのは、時間は進むけど宇宙で今見ているのは過去なんですよね。パラドックスです。過去の光を見ているにもかかわらず、未来に行ける。すると、行った先はどうなっているのかという気がします。

加藤　そうですよね。実際に行ってみたら、予想と全然違ったりする可能性もある。

瀧口　もうひとつの考え方として、中須賀先生が「遺伝子工学によって、宇宙で生きられる人間を作ることができるかも」ということをお話ししていました。

中須賀　そうですね。昔、リチャード・ドーキンス[★27]の『利己的な遺伝子』という本を読んで、すごく感動したんです。その本によれば、遺伝子が生命の本質で、人間はこの環境に適合する生物を選ぶための実験材料のひとつであると。

瀧口　「遺伝子にとって人間は乗り物に過ぎない」というやつですね。

人間の知能を科学的に突き詰めたら、神の領域が見えてきた

中須賀 そうです。でも、それを突き詰めていくうちに、「なんで人間のような高度な知能を作ったのか」という疑問が湧いたんです。遺伝子が常に正しいことをやっているとしたら、なんで人間のような危険なものを作ったのか。核戦争で地球全体を滅ぼすかもしれない。エントロピーで地球をダメにしてしまうかもしれない。そのように高度な知能を持ったやつをなんで作ったのか。読んだ後にすごく考えて、その結果3つの解釈を見つけました。

ひとつは「遺伝子でも誤りを犯す」。だから、遺伝子は今「こんな高度なやつを作ってしまって、失敗だった」と反省している。ふたつ目は、ある試みの最中であるということ。どういうことかというと、まず、遺伝子が作った生物の系統樹の一番先端には今、2種類います。ひとつは人類で、哺乳類のトップです。知能は高いけれどもホモジニアス（同種・同質）だから、例えば強い感染症などでひとりが死んだら全員死んでしまう。もう1種類が、知能は低いけれどバラエティがめちゃくちゃある、節足動物の昆虫です。昆虫はバラエティが多いから、一匹当たりの知能

★27 「リチャード・ドーキンス」 生物学者、動物行動学者。イギリス出身。1941年生まれ。「生物は遺伝子の乗り物にすぎない」と表現し、自然選択の実質的な単位は遺伝子だとする進化の遺伝子視点を提唱した。著書に『利己的な遺伝子』『遺伝子の川』『進化とは何か』などがある。

は低いけれども、例えば核戦争が起こってもどれかは生き残るかもしれない。だから、少数精鋭のホモジニアスな人類と節足動物のどちらに自分の将来を委ねるか、今、遺伝子は試しているんじゃないかと。

瀧口　人類か昆虫か、という構図なんですね。

加藤　もし遺伝子が「宇宙を目指したい」と思っていたとすると、知能が必要になりますよね。

中須賀　それで、3つ目の解釈は何かというと、「高度な知能を持った人間に、遺伝子が何か期待していることがある」というもの。私はそれが「遺伝子を書き換えること」だと思っているんです。どういうことかというと、これまでの自然淘汰のプロセスはすごく時間がかかります。しかも、環境に適したものしか作れない。つまり、地球上の遺伝子の進化の中では、宇宙で生きられるものはどうやったってできないんです。逆に「こういう環境で生きられるものはどういう遺伝子にしたらいいか」ということがわかれば、そこで初めて、宇宙で生きられる生物を遺伝子工学で作れるかもしれない。それこそが、高度な知能を持った人間に遺伝子が期待していることではないか、と私は思うんです。

戸谷　神の領域に足を踏み入れるということですね。進化というものの性質がまったく変わっちゃいますね。遺伝子が意思を持っているかどうか私にはよくわかりませんが、生物学で進化を考えると、とにかくランダムに遺伝子を組み替えると、ほとんどが失敗作になるけど、たまに成功作ができて、それで進化が進む。これが何十億年とやられてきたことですが、遺伝子工学は、生命体が自分の意思で遺伝子を変えて、進化をさせてしまうということですよね。これだと進化の内容がまったく変わってしまいます。すると、そこで何が起こるのか。ものすごく興味深いですけど、ちょっと怖い気もします。

瀧口 遺伝子は人間の知性に「書き換え」を期待しているんじゃないかと。

中須賀 そういうふうに僕は思います。

加藤 今までは「遺伝子が変わったからこうなった」という世界だったのが、「こうしたいから遺伝子を変えようぜ」と逆転するわけですね。

中須賀 つまり、人間は逆推論できる知恵を持ったわけです。それこそ遺伝子が期待していることかもしれない。

加藤 今までの遺伝子だと隣の銀河には行けなかったけど、行けるようになるために人間ができたと。

宇宙服なしで宇宙に行こう

中須賀 例えば今、宇宙で活動するには宇宙服を着なければいけないので、すごく不利です。宇宙空間で生きていくのは、なかなか難しい。大きなコロニーでも作れば別ですが、それでも負担が大きいわけです。でも、今後は宇宙服を着なくても宇宙空間に行くことが可能になるかもしれない。つまり、今は酸素を使って物を燃やすことでエネルギーを得ているけれども、酸素を使わないで太陽からエネルギーを得られる道が見つかるかもしれない。あるいは、真空の宇宙空間にいても爆発しないような外骨格を持つとか。それができるような生物を作り出せれば、宇宙で活動できるわけです。

加藤　でも、まだ地球外生命体は見つかっていませんよね。

戸谷　はい。まだ見つかっていません。

中須賀　ただ、地球の中で宇宙に持って行っても生きられる生物は見つかっています。外骨格の昆虫です。宇宙空間では冬眠状態みたいに動かなくなりますが、地球に戻ってくると生き返るんです。

瀧口　クマムシ[★28]ですか。

中須賀　そうです。だから、そういう生物自体はすでにいます。

戸谷　もしかしたら、隕石に乗って火星から地球にクマムシのような生物が移動した可能性もありますよね。

江崎　それに、人類は「遺伝子じゃない遺伝子」を見つけるかもしれません。だって、今のところ僕らは遺伝子のことを「個体を作るためのプログラム」だと思っているけど、もしかしたら地球が意志を持っているかもしれないですよね。地球という集合体のプログラムがあるかもしれません。もしかしたらそこにダークマターが絡んでくるのかもしれない。

瀧口　面白いですね。すごく話が広がってきました。

江崎　だってそれって、地球上だとなんとなく正しそうだということで作っているわけですよね。でも、宇宙規模になったらそのロジックは違うという可能性も出てくるわけです。
瀧口　地球全体がひとつの生命体ということですか。
江崎　かもしれないですよ。
中須賀　アーサー・C・クラークの作品に『幼年期の終わり』という小説があります。これは、進化の結果一人ひとりの個体がなくなって集合知になるという話です。進化すると最後にどうなるかということについて、今の話を聞いていると本当にそう思いました。
江崎　昆虫も集まると知的な振る舞いをしているように見えることがあります。それは、もしかしたら遺伝子のプログラムなのかもしれません。
戸谷　我々人間もひとりずつが細胞で、そのたくさんの細胞が社会を作っていると考えれば、国はひとつの生物みたいな考え方もできるわけですよね。
瀧口　いやー、とても面白いお話でした。

★28「クマムシ」体長0・1〜1㎜で、4対8本のずんぐりした脚で歩く緩歩生物。形がクマに似ているためクマムシと呼ばれている。マイナス237℃から100℃、真空から7万5000気圧の場所や数千グレイの放射線に耐え、宇宙空間に10日間いても生存が確認されたほどの極限耐性を持っている。

地球に近づく小惑星を監視している機関がある

瀧口　では、最後のテーマです。戸谷先生の「地球に近づく小惑星を監視している機関がある」です。

戸谷　隕石は、岩石状の太陽系小天体が地球に落下したものを言います。小さなものから大きなものまで色々とあって、有名な例だと、恐竜を絶滅させた隕石は直径およそ10㎞ぐらいでした。それが約6500万年前に地球に落ちたわけです。だから、多分1億年に一回くらいはそういうことが起こる可能性がある。それは、もちろん2億年先かもしれないけど、明日起こっても不思議ではないわけです。そして、恐竜絶滅までいかなくても、それなりに人類にダメージを与える隕石はもっと頻度が高い。そうすると常に宇宙をモニターして、危ない小惑星や岩石がないか調べることは非常に重要です。実際、地上の天文観測で未知の小惑星がどんどん見つかっているので、その軌道を計算して地球にぶつかるか調べている人たちがいます。これは大変重要なことだと思います。

瀧口　Netflixで2021年に公開された「ドント・ルック・アップ」が似たテーマを扱っていましたね。巨大彗星が地球に近づいてきていて、このままだと衝突してしまう。そのような状況で、地球の人たちがどう行動するかといった内容でした。作中では、天文学者がいちはやく地球に近づいてくる彗星に気づくのですが、世間の人たちからは相手にされず、陰謀論者扱いされてしまったりする。そのような意味で、専門家と世間の人たちのコミュニケーションの難しさも描かれている映画でしたが、実際のところ、本当に地球にぶつかる彗星や小惑星はあるんでしょうか。

中須賀　「1950DA」という直径1・1㎞ほどの巨大な小惑星が、2880年に0・3％くらいの確率で地球に衝突するかもしれないと言われていました。もし本当にぶつかったら、1億年に1回くらいの大惨事が起こるかもしれない。でも今は少し軌道が変わって、0・02％くらいまで確率が下がったんです、でも逆に言えば、これからの小惑星の動きによっては、また確率が上がってくる可能性もある。そのように地球は常に危機にさらされています。そのため「Space Guard（スペースガード）」や「PDCO（Planetary Defense Coordination Office）」など、小惑星を監視している機関があるんです。

加藤　観測だけで、研究はしていないんですか。

戸谷　スペースガードは観測だけです。ただ、望遠鏡で空を見ているのは間違いないので、そのデータを使って天文学の研究はできます。例えば、危険な小惑星を探すと同時に何か変わった天体を見つけるかもしれない。実際にスペースガードの望遠鏡で爆発が見つかって、天文学者が騒ぐというようなことも起きています。

瀧口　それはどういった現象なのでしょうか。

戸谷　太陽よりも重たい星は、最後に大爆発して終わります。これが「超新星爆発」です。また、最近では「ガンマ線バースト」という、強烈にエネルギーの大きな天体現象があります。これも、重たい星が一生を終える時に１００秒くらいバーッと光って消える、という現象です。ガンマ線は我々の目には見えませんが、エネルギーを計算すると肉眼でも十分見える明るさなんです。

瀧口　そういう天体現象は毎日起きているんですか。

戸谷　はい。しかも、それは銀河系よりもずっと遠い１００億光年遠方の宇宙の果てからやってきている大爆発だということがわかっています。ガンマ線バーストや超新星爆発で重力波を発するような天体の現象は、今、天文学の非常に大きなテーマのひとつになっているんです。

加藤　それが隕石になる、ということですか。

戸谷　というか、隕石となるような太陽系小天体を探しているうちに、そういうもっと遠い爆発現象も見つかるということです。

江崎　隕石って、とても小さなエネルギーですよね。でも、超新星爆発はものすごいエネルギーを持っている。だから、超新星爆発で飛び散った小さな岩石がこちらに来るかもしれない。

加藤　なるほど。ちなみにそもそも、小惑星ってどこから来るんですか。

戸谷　宇宙は最初、水素とヘリウムしかありませんでした。我々の体を作っている炭素や酸素は星の中の核融合によって作られ、超新星爆発によってまき散らされます。ですから、宇宙空間には炭素原子がたくさん飛んでいるわけです。

　では、小惑星などの岩石天体はどういう経緯でできるかというと、まず太陽ができます。その周りにガス円盤ができて、ガス円盤の中で炭素や鉄などが凝縮して砂粒になります。砂粒がだんだん合体して岩石や小惑星になり、さらに小惑星が合体して、地球のような惑星になるわけです。ですから、隕石の元となる岩石はできたての太陽の周りで、だんだん成長して作られます。

本当に小惑星が衝突したら、人類はどうなる？

瀧口 もし、本当に小惑星が地球に向かってきた時はどういう反応が起こるんでしょうか。

戸谷 隕石が地球に衝突して生命が大打撃を受けるのは、人類にとってはもちろん嫌なことです。しかし、さきほどの『利己的な遺伝子』の話から考えると、隕石衝突は、地球生命全体からするといいことかもしれません。

というのは、そもそも隕石の衝突で恐竜が絶滅したから、哺乳類が繁栄できたわけですよね。つまり、地球全体では大量絶滅が起きていますが、その後には必ず進化も加速されています。ですから、遺伝子から見たら「もっと進化したいな。そのためには人類は邪魔だから、隕石を落としちゃうか」みたいなパターンもあるのではないでしょうか。

加藤 でも、人類は知能を持っているから、とにかくそれを防ごうとしますよね。具体的にどんな防止方法があり得るんですか。

中須賀　それは、映画でよく描かれてきましたよね。例えば『ディープ・インパクト』（1998年公開）や『アルマゲドン』（1998年公開）では、小惑星に爆薬を仕掛け、爆発させ、小さな破片にして回避していました。他の方法もあります。1962年に公開された『妖星ゴラス』という日本映画では、妖星ゴラスという星が地球に衝突する軌道に入ってきます。これをなんとかしなければいけないということで、アメリカなどはゴラスを爆発させようとするわけです。でも、日本は違います。南極にたくさんのロケットエンジンをつけて、地球の方を動かそうとするんです。小惑星たりとも爆発させてはいけない、という。これは、あらゆるものに神様が宿っている、と考える日本人らしい発想だと思いませんか。でも、明らかにアメリカよりいい発想ですよ（笑）。

瀧口　小惑星ではなく、自分たちの方をちょっとどかします、と。

戸谷　それで思い出したんですけど、少し前に天文学で面白い論文が出たんですよ。それは、地球に近づいてくる小惑星を逆に利用して、地球温暖化を解決しようという内容なんです。太陽系の小惑星帯には、小惑星がたくさんありますよね。その中の大きな小惑星にエンジンをつけて、地球の近くまで持ってくる。大きな小惑星が地球のそばをかすめると、地球の軌道が変わりますよね。それをうまく計算して、地球が太陽から少し遠ざかるようにする。すると、地球が太陽から遠ざかるわけだから地球の温度が下がる。それで温暖化を解決できる……と、そういう論文が出たんです。ただ、プレプリントサーバー[★29]に出ていたので、査読は受けてなかったみたいですけど。

加藤 現実問題として、小惑星に対処しなければならないとなったら、爆発させるしかないんですか。

中須賀 そうですね。ただし、対処できるかどうかはサイズ次第です。アメリカが主導するでしょうが、各国の協力が必要です。先ほど紹介した「妖星ゴラス」の中でも、いろいろな国の原子力エンジンを使わねばならないので、原子力の技術や情報を互いに公開しなければならないという場面があります。でも各国「俺たちの大事な原子力の技術を公開したくない」とも思っているわけで、論争が起こるんです。そんな中「それでも地球のためにやるんだ！」といって全体を取りまとめたのが日本人である、という話でした。現実でもそうあってほしいなと思います。

瀧口 確かに、合意形成に至るまでが難しいだろうな、とは想像ができます。

江崎 結局、世界中が手を組まないと解決できないっていうのが宇宙からの脅威なんです。だから今は各国がケンカをしているかもしれないけれど、その時に備えて協力する体制は整えておかなければいけませんね。手を合わせて核エネルギーを使えるように、みんなが技術を持てるようにしないといけない。そこに不均衡があると、協力できません。いざという時に手を結びましょう、という点は合意できるといいですよね。

加藤 隕石の発見から地球への衝突まで、実際には何日間ぐらいの猶予があるんですか。

戸谷 軌道などにもよりますが、１ヵ月とか1年くらいでしょうか。もちろん、その前に見つか

★29 「プレプリントサーバー」研究者による評価や検証が行なわれていない、査読前の学術論文などが読めるサーバーのこと。査読前なので間違いや捏造などの不安はあるが、査読には長い時間がかかるので、自分の研究結果を素早く学術コミュニティに広めるために公開する研究者も多い。

る可能性も十分あると思います。

瀧口　1ヵ月だと間に合わないかもしれませんね。だとすると、こういう時にはこうしますというルールを最初からきちんと決めておいた方がいいような気がします。

加藤　残り1年とか言われた時に、人間の本質が出そうですね。

戸谷　それこそ、全核ミサイルを使っても動かせないくらい重たい小惑星であると判明したら、地球を脱出するしかないんです。今の技術で地球を脱出することになったら、誰が脱出するかということになるでしょうね。そこでは、ものすごく醜い争いが発生するかもしれません。

瀧口　情報がどこまで行き渡るかということもありますよね。

やっぱり宇宙、ワクワクするよね

瀧口　ちょっと不安な形で終わってしまいそうな気もするのですが、終了の時間が近づいてきましたので、最後に皆さんからひと言ずつ感想を伺って終わりたいと思います。まず、江崎先生からお願いします。

江崎　リチャード・ドーキンスの『利己的な遺伝子』が、宇宙とすごく深く関係しているということを中須賀先生から学ばせていただきました。違う分野の研究者が集まって話すと、やはり新しい発見があるんですね。我々はもう少し集まって話をしなければいけない、とわかりました。

戸谷 私は理学部で純粋な科学的興味から天文学をやっているのですが、テクノロジーを専門とするおふたりから面白い話を聞けて非常に刺激を受けました。例えばガリレオは、望遠鏡という新しいテクノロジーが登場してから、宇宙についての理解をどんどん深めていったんです。その意味で、今回おふたりからテクノロジーの進化の可能性を聞いて、私自身は宇宙やダークエネルギーを理解するために何ができるのだろうか、あるいは新しい天文学をどう研究していけばいいのだろうか、ということを考えてみたくなりました。ありがとうございました。

中須賀 宇宙というと、どうしても地球観測とか通信とか、ある種、社会の利益になるようなことを考えてしまいます。そして、その先にビジネスのことも思ってしまう。でも、宇宙というのはそれだけではありません。「宇宙に行きたい」とか「宇宙ってなんかワクワクするよね」といった感覚を持っているのはなぜなのか。そういったことの中に「宇宙と人間の関わり」があるのかなと思いました。そういう意味では非常に楽しかったです。ありがとうございました。

加藤 今回は壮大でしたね。「アインシュタインをワンチャン超えられそう」とか「宇宙にワンチャン国も作れそう」というのがわかったので、よかったです。今後、そういう人が出てくるといいですよね。

瀧口 では、これで宇宙編は終了とさせていただきます。本当にありがとうございました。

Part3のおわりに　司会・瀧口友里奈より

「宇宙」は、もはや遠い未来の話でもSF小説の世界の話でもありません。経営者の前澤友作氏が宇宙に行ったり、アマゾン創業者ジェフ・ベゾス氏が宇宙に行ったりと、民間人が宇宙に行ったニュースを多く聞くようになってきたと思います。東京大学公共政策大学院には、宇宙政策を専門に研究している学生さんもいて、公共政策と工学部の内容を分野横断的に研究しています。これまでの工学分野の宇宙研究はまさに社会実装のフェーズにあるのです。司会を担当している番組でも毎月、宇宙分野のスタートアップ経営者や専門家の方に出演していただいていますが、宇宙分野はまだまだブルーオーシャンではあるものの、先を見据えた事業がすでに次々と立ち上がっていることに驚きます。新しい分野に挑戦したい学生さんたち、社会人の方にも、文系理系問わず、ぜひ〝地球〟だけでなく〝宇宙〟もフィールドとして見据えた研究やキャリアをお勧めしたいと思います。また、この人類の宇宙進出の流れ、なぜ人間は宇宙に出ていくのかの必然性を中須賀先生がエントロピーの法則で説明されていたのは、非常に斬新で目から鱗でした。他にも例えば、価値のコモディティ化もエントロピーの法則で説明できたりするわけですが、エントロピーの法則を人間が宇宙に出る理由として先生が適用したように、あらゆる現象について規模を変えながら相似形で捉えていくと理解が進み、新しい発見も多く出てきそうです。

知の巨人たちのQ&A

Q. 故人を含め、誰でも1人会えるなら誰に会いますか?

A.

暦本教授　フェルメール。本当にカメラオブスキュラを使っていたかどうかをつきとめたい。

合田教授　ガリレオ・ガリレイです。彼は科学に数学を導入して定性的なものから定量的なものに進化させたことで、科学の爆発的な発展の基盤を構築しました。そのあたりの背景や哲学について聞いてみたいです。

江崎教授　二宮尊徳。江戸時代の経営危機に陥った藩の立て直しで活躍したとのことで、そのモットーは、「道徳なき経済は罪。経済なき道徳は寝言」。

黒田教授　小林秀雄（他には、堺屋太一、司馬遼太郎）。日本の将来をどう見ているか聞きたい。

中須賀教授　勝海舟。幕末、政府の中の要人でありながら、このままだと日本はだめだと主張し、無血開城にまで導いた発想・構想力・手腕がすごい。

戸谷教授　やはりアインシュタインでしょう。アインシュタインとニュートンは、物理学者にとって別格の存在。現代に蘇ったアインシュタインに、ダークマターやダークエネルギーの問題をどう考えるか、聞いてみたい!

新藏教授　特に思いつきません。

富田教授　祖父。反抗期の時も含めて、いつも自分のことを応援してくれていた。お葬式のときに墓前で治療薬を作って貢献すると誓ったから現状を伝えたい。

Q. 師匠にあたる人は誰ですか?

A.

暦本教授　木村泉先生（指導教員）。梅棹忠夫（勝手に私淑。思想のスケールと洒脱な感じの両立）。

合田教授　様々な場所を転々としてきたので、特にいないというのが正直な回答です。

江崎教授　村井純（慶應義塾大学教授）。

黒田教授　これまでに出会った多くの方々。とくに、香山晋氏からはカリフォルニア大学バークレー校への留学の機会をいただき、桜井貴康先生からは研究の仕方を教わった。

川原教授　東京大学の青山友紀名誉教授、森川博之教授。

中須賀教授　田辺徹（元東京大学教授）。Bob Twiggs（元スタンフォード大学教授）衛星開発の師匠。葛西敬之（元宇宙開発委員会委員長）戦略を立てる場面での師匠。

戸谷教授　大学院時代の指導教員である佐藤勝彦先生です。

新藏教授　本庶佑先生。

富田教授　父親。いわゆるサラリーマンでしたが、平日は仕事をバリバリやって、お酒を飲んで、週末は趣味のゴルフを徹底的にやる人です。

AI

エネルギー

国家

教育

生命

宇宙

ビジネス

IT

環境

仮想空間

新藏礼子×富田泰輔×合田圭介

Part4 「病気と生命」

誰もが健康に長く生きたいと願うもの。最終回のテーマは、そんな「病気と生命」についてだ。新藏教授は、ノーベル医学生理学賞を受賞した本庶佑氏のもとで研究生活をスタート。抗体の研究を進めるうち、腸内環境に多大な貢献をする「IgA抗体」を扱うようになる。〝腸活〟といったワードに代表されるように、昨今、一般的にも注目されてきた腸内のお話。「ヨーグルトって本当にいいの？」といった素朴な疑問も含め、最先端の知見は必読だ。一方、認知症研究に従事する富田教授は、元々は文系志望だったという少し変わった経歴を持ち、専門性の高い分野をわかりやすく伝える手腕に定評がある。超高齢化社会の日本において、今後ますます重要になっていく話が盛りだくさんだ。そして合田教授は、Part1以来の再登場。2人の話を受けて広げつつ、「日本の研究室の予算」というリアルかつシビアなテーマにも言及。国籍を問わず、さまざまな大学や研究機関を経験してきた合田教授ならではの説得力のある分析と提言がなされる。

瀧口友里奈（以下、瀧口）　今回は「生命科学編」です。バイオのお話ですね。「腸と脳」のお話をたっぷり伺いたいと思います。

加藤真平（以下、加藤）　これまでは工学系が多かったのですが、今回は理学系です。最近、健康に気をつけなければいけない年頃になってきましたので、楽しみにしています。

瀧口　今回も事前に「10年後の世界」をキーワードに先生方にお話を聞きました。そこで出た興味深い発言や、印象に残った言葉をトークテーマにします。まずは富田先生の「認知症を起こすのは脳にたまったゴミ」です。人間の脳にゴミが溜まるというのは初めて聞いたのですが、どういうことなのでしょうか。

認知症を起こすのは脳に溜まったゴミ

富田泰輔（以下、富田）　脳は「記憶」や「感情」などをつかさどっている器官です。そこでは常にタンパク質ができては壊され、できては壊されています。その過程で年を取ってくると、ゴミが少しずつ脳に溜まってきて、掃除をサボったような状態になってきます。ベッドの下にある埃は、最初はほんの少しなので気になりませんが、時間が経つにつれていっぱい溜まっていきますよね。それと同じようなことが脳の中でも起こっています。そして、そのゴミは最終的には脳の神経細胞を殺してしまう。それが続くと認知症になるのではないかということが、今わかってきています。

瀧口　その「ゴミ」というのは、どんな名前なんでしょうか。

富田　「アミロイドベータ」と「タウ」と呼ばれるもので、このふたつが認知症に関係する有名なタンパク質です。

瀧口　両方ともタンパク質なんですね。

富田　そうです。今も皆さんの頭の中に存在していて、生まれた時からずっと作られています。若い時は溜まりませんが、年を取ってくるにつれて少しずつ溜まっていきます。

加藤　脳の中にあるということは、血液の中に溜まるということですか。

富田　いえ、溜まるのは神経細胞です。アミロイドベータは神経細胞が外に出しているタンパク質で、タウは神経細胞の中に存在するタンパク質です。

瀧口　それが、脳の神経を阻害するようなものになっていくということですか。

富田　そうです。まだ詳しくわかっていないところも多いんですが、少なくともアミロイドベータがたくさん溜まると、その後にタウが溜まってきて、そのタウが神経細胞を殺します。すると、脳がだんだん萎んで記憶できなくなる。そういうプロセスが、今考えられています。

瀧口　若い時は、それを排出する機能が健全に働いているということですか。

富田　はい。ですから、おそらく老化に関係しているのだろうと考えられています。若い人の脳にはまったく溜まっていません。年を取ると溜まってくる。おそらく、脳のゴミ掃除の効率が悪くなっているからだろうと考えられています。

瀧口 そのゴミ掃除のメカニズムは、まだ解明されていないんですか。

富田 そうですね。脳のゴミ掃除に関して注目が集まったのは、この10年から20年くらいで、まだわかっていないことも多いんです。ただ、最近は睡眠や運動が関わっているのではないかと言われています。

瀧口 よく言われる睡眠や運動が、ここでも大事なんですね。

加藤 脳にゴミが溜まっているという状態は、どうやって発見できるんですか。血液を見たり細胞を分析したりするんですか。

富田 今、一番確実に診断できるのは、脳画像のイメージングです。例えば、がんの細胞がどこにあるかということを「PET（陽電子放出断層画像法）イメージング」などで見ることができます（生きたままの個体の体内にある分子の動きを観測できる）。同じように、脳の中も画像として見ることができるんです。すると、アミロイドベータやタウが溜まっているところが見えます。

加藤 それはCTスキャンみたいなものですか。

富田 同じようなものです。ただ、PETイメージングは大きな病院でしかできないので、今はそれを血液検査でできるように研究が進められています。

加藤 血液でも脳の細胞の診断ができるようになると。

富田 この5年くらいの間に、血液で診断できるのではないかという期待感がかなり高まっています。

瀧口 すごいですね。血液でわかれば、認知症が発症する前からわかるかもしれないですね。

認知症を予防するには

富田 今、多くの研究者が目指しているのは「認知症になる前にリスクを診断する」ということです。具体的には血液や尿、もしくは他の体液で診断することを目指しています。これは、かなりの確度まで来ています。

瀧口 誰もが認知症になることを防げる世の中が来る可能性がある、ということですね。

富田 そうです。今は「リスクを診断できる」ことがわかったので、次は「それを予防する方法」や「治療する方法」です。そうした研究が、今では盛んに行なわれています。

瀧口 先ほど脳の画像のイメージングというお話がありましたけれども、合田先生の研究と似ている部分もあるのですか。

合田圭介（以下、合田） 実は、今まさにコラボレーションしています。

富田 合田先生たちが開発された機械で、脳内で起こっている変化を測定しているんです。これは非常に細かく細胞の中を見ることができます。

加藤 脳の画像を見るための共同研究なんですか。

合田　脳の細胞をばらして流体で流して、一個一個の細胞の形態を見ているんです。そこで、特殊な細胞がいたら、それを分類して精密に調べます。

加藤　〝流す〟というのは、実際にどんな感じなんですか。

合田　流体で細胞そのものをダーッと流すんです。

加藤　その細胞は、どう抽出しているんですか。

富田　今は病気の状態に近い細胞を作って、合田先生のところの機械で流して解析しています。

合田　非常に小さな流路がある「マイクロ流体チップ」というものがありまして、そこに10ミクロンくらいの大きさの細胞を流して、細胞をひとつずつ撮影しているんです。

瀧口　なるほど。ところで、先ほど挙げていただいた認知症の原因となるタンパク質は、運動・睡眠以外で掃除する方法はあるんですか？　例えば、薬で除去することはできないのでしょうか。

富田　今注目されているのは、「免疫」です。これは新藏先生の研究領域ですが、最近、脳内の免疫システムが認知症の研究において重要だとわかってきて、それをきっかけに新しい薬の開発が行われています。

新藏礼子（以下、新藏）「頭にゴミが溜まる」、「それをどうやって取り除くか」、「若い時には溜まらない」。これらは多分、広い意味での免疫系[★1]が関わっていると思います。つまり、免疫系がゴミ掃除をしてくれている。「これは悪いやつだから排除しよう」というのは、脳だけではなく全身で起こっています。例えば、動脈硬化によって余分なものが動脈壁につくことで脳卒中が起こりますが、それもゴミを処理できなくなったから、そういう病気になるんです。

ですから、広い意味での免疫が、血管系も含めてすべてにおいて、体の健康や恒常性を守るのに重要な役割を果たしているとわかってきました。脳の中で、免疫系の細胞がゴミ掃除屋として働いているんです。しかし、老化すると当然、免疫機能も老化します。また老化のスピードによっては、早くから免疫が落ちる人やゴミが溜まってしまう人が出てくる。ですから、ゴミ掃除の研究は、これからすごく重要になると思います。

加藤　素人からすると「免疫を高める」というのは、当たり前に聞こえてしまうんですが、研究の世界だとそれがどのように認識されているんでしょうか。何にフォーカスされているのですか。

新藏　今は「どうやって早期診断するか」ということにフォーカスされていると思います。そして、10年後は「じゃあ、どうしたらゴミが溜まらないようにできるか」ということにフォーカスが動いていくと思います。

瀧口　今までは、原因のメカニズムを特定するのに注力されていたということですか。

新藏　免疫系の、どの細胞が何を認識してゴミを取り除いているか、というところまで詳しくわからないと、なかなかその次に進めないんです。

★1　［免疫系］ウイルスや細菌、寄生虫などの病原体やがん細胞などから体を守り、傷ついた細胞を修復してくれる機能の総称。免疫系にはもともと備わっている「自然免疫」と、一度入ってきた抗原を記憶しておいて、二度目に侵入した時に働く「獲得免疫」がある。

免疫学の大きな転換点

加藤 今までの研究と、これからの「ゴミ掃除が大事だよね」という免疫の研究は何が違うんでしょうか。

新藏 知られていなかった免疫の機能が、だんだん明らかになることだと思います。簡単に言うと、古典的な免疫学は「病原菌[★2]やウイルスが入ってきたら、どうやって病原菌を叩くか」を研究することでした。例えば最近だったら「新型コロナウイルスにどう対抗するか」「どうしたらいいワクチン[★3]ができて、新型コロナウイルスに勝てるのか」ということです。

ですが、免疫系は体に敵が入ってこなくても、全身の「恒常性を維持する」「健康を維持する」ことに役に立っているというのが、私の考えです。「免疫は病原菌をやっつけるだけではなく、その前に体をメンテナンスする」というのが、ここ数年で大きく流れが変わったところかなと思います。

瀧口 恒常性を維持したり、健康を保ち続けたりすることに、免疫が関わっているということがわかってきたわけですね。

新藏 がん[★4]も同じです。がん細胞は毎日、私たちの体のどこかで数個生まれているかもしれません。ですが、それを免疫系が認識して、その場で増やさないようにすれば、がんという病気になりません。しかし、その研究は今まであまり進んでいなかったんです。

瀧口　あくまで外部から来たものに対してどうアクションするか、というところがずっと研究されてきたと。

加藤　どの分野でもあると思いますが、「研究はしているけれど単に注目されていなかった」というケースもあり得ますよね。例えば、ＡＩの研究は昔からされていて、その本質はあまり変わっていません。しかし、コンピュータの処理速度がたまたますごく速くなったために、ＡＩが大きな話題になっています。同じように免疫の研究も、実はもともとやっていたものが、たまたま最近になって脚光を浴びているということはないんですか。

新藏　どうなんでしょうか。例えばワクチンの研究は、新型コロナウイルス感染症によって注目されました。何にスポットが当たるかは、どんどん変わっていきます。なので、あまり周囲に左右されないで自分の知りたいことを追求していれば、いつかそういう流れが来る、ということだと思います。

★２［病原菌］人体に入った場合に病気を引き起こす可能性のある細菌やウイルス、真菌（カビ）、寄生虫などのこと。代表的なものに大腸菌、サルモネラ菌、インフルエンザウイルス、コロナウイルス、アニサキス、サナダムシなどがある。

★３［ワクチン］感染症の原因となるウイルスや細菌などの毒性を弱めたり、なくしたりした薬液のこと。病原体の一部を体に接種することで、その病原体に対する免疫を作りだす。ワクチンを接種すると病気にかかりにくくなったり、かかったとしても症状を軽く抑えたりする。

★４［がん］悪性腫瘍。正常な細胞の遺伝子に傷がついて、異常な細胞ができ、その異常な細胞がどんどん増加して、正常な細胞の邪魔をする病気。異常な細胞が血液などに入り込み、全身に転移することがある。

合田　そうですね。あまり流行を意識しないで、知的好奇心をベースに広く研究することが重要だと思います。

脳と免疫の意外な関係

富田　脳は体の中で唯一、免疫と関係ない臓器だとずっと考えられていて、そのために研究があまり進んでいなかったんです。例えば脳にリンパ管[★5]があることがわかったのが、この5年くらいなんです。その結果、「リンパ管があると、免疫細胞が入ってくるルートがある」ことが明確になったわけです。

加藤　それは、今までなぜわからなかったんですか。

富田　おそらく実験をちゃんとしていなくて、脳にリンパ管があると思っていなかったんでしょう。それが、「ちゃんと見たら実はあった」と。また、脳には抗体が入らないとも考えられていたので、脳にウイルスが侵入すると一瞬で蔓延してしまうとも思われていたんです。それが、「脳にはリンパ管があるし、免疫細胞も抗体も入ってくる」ことがわかったんです。それもこの10年くらいです。

加藤　どういうタイミングでわかったんですか。

富田　認知症になる原因を研究していたタイミングです。認知症は神経細胞が死ぬ病気なのに、脳の免疫細胞である「ミクログリア」というものに異常が起こっていることがわかったんです。それが、この10年くらいのことです。

加藤　免疫細胞に異常が起こっているのは、色々な症状を見比べてわかったんですか。

富田　それは遺伝子を見ればわかります。遺伝子に異常があったのが神経細胞ではなくて、免疫細胞だったんです。

ただ、認知症の研究で問題なのは「正常がわからない」ということなんです。というのも、患者さんは異常があるから病院に来ているわけです。つまり、病気の人のサンプルはたくさんあるのですが、「正常な人」「高齢で健常な人」の情報はほとんどありませんでした。しかし、遺伝子なら正常な人でもご協力いただけるので、すごく大量のデータベースができる。それで、異常が抽出できるようになったんです。そこがかなり変わってきたところですね。

加藤　でも、その高齢な人たちが、本当に正常だという保証はないですよね。

富田　そうなんです。10年後に認知症になるかもしれないというリスクはあります。

加藤　要するに、認知能力はしっかりしていて、見た目はなんの問題もない。でも、実は認知症が進行している人を正常だと判断して、サンプルとして集めるとおかしくなる可能性がありますよね。

富田　そうですね。実は、アイスランドでは全国民の遺伝子を調べるという研究がなされて、そ

★5 ［リンパ管］全身の細胞から不必要な水分やタンパク質などの老廃物などを回収する役割を持っている。これまで脳には存在しないと思われていたが、2015年に脳にもリンパ管があることが発見された。

れでアルツハイマー病を予防する遺伝子変異が見つかったんです。どうして見つかったかというと、100歳を超えても健常な方と、普通の人を比較研究して見つかったんです。つまり「普通の人」と「病気の人」がいるだけでなく、「普通の人」と「スーパー正常な人」というのがいるはずなんですけど、普通はここの研究が絶対にできないんです。

先ほどお話ししたように、病気の方のサンプルは病院にたくさんあるんですが、例えば高齢で健常な方の情報はほとんどないんです。しかしアイスランドのように全国民を調べることができれば、「100歳を超えても健常な、スーパー正常な人」の研究ができるんです。すると、生物学的な新しい発見があるかもしれない。これは、もう全国民レベルで調べないとわかりません。

加藤　日本は高齢化が進んでいて、長寿国にもなっていますが、それに伴う問題がこれから色々と出てきますよね。こうした研究を政策でなんとか推進したりはできないんですか。

瀧口　確かに、健康寿命を伸ばして社会保障費を減らすという意味でも、政策としてすごく重要になってくると思いますが。

富田　日本は倫理的なハードルが高いんです。例えば、遺伝子検査をしている民間企業は今たくさんあって、そういった会社では様々なデータを持っているはずです。でも、遺伝子などの個人情報の取り扱いには非常に気を遣っているので、研究などに使うというのはなかなか難しいと思います。

意外と知らない、健康診断の裏側

加藤 そういった検査とは少し違いますが、健康診断では採血をしていますよね。僕は大嫌いなんですが、あれは何がわかるんですか。

合田 あれは文字通り、健康の診断です（笑）。それ以外には使ってはいけないんです。基本的に。

新藏 採血では、主に白血球や赤血球など血球の数を調べています。あとは生化学検査で肝臓や腎臓に疾患がないかなど、本当に一般的なことです。

瀧口 つまり、私たちが結果を目にするものしか調べていないということですよね。仮に、他にも色々と研究材料として調べてほしいと思ったら、調べてもらえるんですか。

加藤 「アミロイドベータがやばいですよ」みたいなこともわかったりするんですか。

富田 研究内容に対して同意していただかないといけませんね。同意していただいた以外の研究には使えないんです。

瀧口 他の国では、同意なしで使えるケースはあるんですか。

富田 さすがに、同意なしというのはないと思います。例えば「この範囲内の研究であれば同意します」みたいなケースが多いのではないでしょうか。ただ、日本の場合はその基準がものすごく厳しいんです。

合田　アイスランドくらいの国家の規模（約37万人）だと、国民全員のコンセンサスを得やすいですよね。

瀧口　日本は1億2000万人ほどいますもんね。

加藤　コレステロール値を出すのと、認知症に関係するアミロイドベータ値を出すのは、難しさがぜんぜん違うんですか。

富田　今は全自動化された機械があるので、その機械にセットすればすぐに出てきます。

加藤　そこにセットするのに同意がないといけないということですよね。でも、コレステロール値を出すのに同意書にサインをしていないと思うんですが、OKなんですか。

富田　健康保険を受けている時点で、それにOKしているんです。

加藤　じゃあ、アミロイドベータが健康保険の対象に入っていれば検査できるわけですね。

富田　そこは保険償還に繋がってくるんです。要は、我々は国の医療費で非常に安く検査をしてもらっています。アミロイドベータの検査を健康診断に入れようっていうのは、色々な研究者が毎年のように申請しているんですが、今のところ却下されています。

瀧口　それはなぜですか。

富田　その診断ができたからといって、本当に病気になるかどうかわからないからです。それに、診断法と治療法はセットになっていないといけない。診断だけだと、患者さんの不安をいたずらに煽るだけになってしまいますから。

加藤 ということは、コレステロールに原因のある病気は治療法があるんですか。

合田 対策はそれなりにあります。

新藏 全国民のデータを追跡・観察して集める調査を「コホート研究」というんですが、アイスランドだけでなく、イギリスなどでも100年近く前から実施されています。だから、その人たちのその後の病歴を全部追うことができるし、「これとこれは、こういう相関があるのか」というケーススタディができるんです。でも、日本は目先のことだけで政策が変わるので、そういう調査がなかなかできません。それでも、頑張って日本でコホート研究を立ち上げている先生方もいます。でも、まだ始めて十数年です。高齢者の認知症のように、これからの日本社会にとって重要な病気を知るには、コホート研究が重要です。だから「今すぐ役に立たなくても、将来のために今後もずっと研究を継続する」ということを国が納得してくれないと厳しいと思います。

合田 おっしゃる通りです。

瀧口 研究データとして活かせるには長くかかるので、今から始めましょうということですね。

新藏 いつも外国のデータを元にしているだけでは、人種差もあるし、新しいことが始まりません。流行に左右されない地道な研究の継続を、国に許してもらいたいと思っています。

合田 本質です。本当に重要なことです。

新藏 それがあって初めて、今やっているいろんな研究が10年後、20年後に役に立ってくる。目先のことに捉われすぎないでほしいです。

腸内環境のカギはIgA抗体

瀧口　続いては、新藏先生の「腸内環境のカギはＩｇＡ抗体（免疫グロブリンＡ）」です。最近は「腸活」という言葉が流行っているように、腸内環境への関心はすごく高まっていると思います。でも、ＩｇＡ抗体というのはあまり一般的な用語ではないですよね。

新藏　まだ全然メジャーではありません。私たちの体には、自分で自分を守る調節機能があります。それを「恒常性維持（ホメオスタシス）」と言いますが、恒常性維持が乱れてどこかに皺寄せが来たときに病気になると私は捉えています。そして認知症・がん・心血管疾患など様々な病気に、腸内細菌の異常が関わっているといわれています。

私たちのお腹の中には、Ａ細菌、Ｂ細菌、Ｃ細菌……と様々な腸内細菌が生き物として住み続けています。口から食べたものが腸に届くと、そのＡ細菌、Ｂ細菌、Ｃ細菌がそれぞれ違うものに変えます。その細菌が変えたものを消化して、腸から取り込みます。ですから、私たちに重要な作用を及ぼしているのは、腸内細菌なわけです。

私たちのお腹の中は、酸素がほとんどない低酸素環境です。ですから、腸内細菌はうんちになって外に出てきた瞬間に酸素によって死んでしまいます。そのため、これまで腸内細菌の研究はなかなか進みませんでした。でも、次世代シークエンサー[★6]などができたおかげで、腸内細胞の遺伝子を読むことができるようになり、「今、腸にどんな細菌がいるのか」「どんな代謝酵素を持っているのか」がわかるようになったんです。

また、遺伝子だけでなく、腸の中の代謝物を網羅的に解析する「メタボローム解析」の技術も進み、例えば「ある腸内細菌由来の代謝物を体の中に取り込むとリウマチになりやすい」とか、いろんなことがわかってきました。じゃあ、それがわかったらどう治療すればいいかという と、腸内細菌を変えればいいということになるわけです。

瀧口 すごく基本的な質問をしてもいいですか。腸内細菌って、よく耳にする「善玉菌」とか「悪玉菌」などのことだと思うのですが、「いい代謝物を作るのが善玉菌、悪い代謝物を作るのが悪玉菌」という理解で合っていますか。

新藏 はい。ただ、科学的な決まりはまだないんです。「この病気になる人は、この細菌が増えている」とか「この病気になる人は、この細菌が作る代謝物が増えている」といったことが少しずつわかっているという段階です。だから、「いい代謝物を飲もう」「悪い代謝物だけを腸から取り除こう」といったことを色々と試しています。あと、聞いたことがあるかもしれませんが「便移植」という方法もあります。健康な人のうんちをもらってきて、それを飲むとか。

瀧口 便を移植するということですか。

★6 「次世代シークエンサー」「次世代シーケンシング（NGS）」は、数千から数百万のDNA分子を同時に読み取る強力な技術。個人医療や遺伝性疾患、臨床診断などの分野で革新的な変化をもたらしている。複数の個体のDNAを同時に解析する高速処理が可能。

新藏　はい。その便の中にはきっといい腸内細菌がいるので、それをそのまま移植するという方法です。腸の中は限られたスペースで、限られた栄養しかないので、それぞれの菌が陣地を取り合っている状態です。ですから、自分のお腹の中にいい菌がいっぱい住んでいる人は、外から悪い病原菌が入ってきても、いい菌がやっつけてくれて病気にならない。反対に悪い菌が多い人にいくらいい菌を入れても、排除されてしまいます。そこで、私はＩｇＡ抗体で悪い菌を減らして陣地を作って、その後にいい菌を補充するというアプローチを目指しています。

瀧口　ＩｇＡ抗体は、悪い菌をやっつける抗体なんですね。

新藏　そうです。私たちのお腹の中には、１００種類以上の腸内細菌がいます。それと同じように、リンパ球から作られるＩｇＡも何百種類とあります。

　例えば、有名な免疫療法薬の「オプジーボ」[★7]を3~5g作ろうとするだけでも、工場で３００ℓ~５００ℓのタンクに入れて培養しなければなりません。ですが、私たちのお腹の中では、成人であれば1日に3~5gのＩｇＡ抗体を毎日分泌していて、腸内細菌と戦ってくれています。私たちの腸は、それくらいすごい量の抗体を作る工場なんです。そして、そのＩｇＡ抗体には悪い菌だけをやっつけてくれるものと、乳酸菌やビフィズス菌などのいい菌を「あなたたちは、ずっとお腹の中にいなさい」と指示を出しているものがあります。私は、お腹の調子を悪くする悪い菌だけを選択的に抑制するＩｇＡを取ってきて薬にしようと思っています。

加藤　腸内について研究している先生方は、ＩｇＡ抗体はご存じなんですか。

合田　名前は知っています。ただ、本当に膨大な種類があるので、1個1個の機能などはわかりません。

新藏 おっしゃる通りです。IgA抗体がいいというのはわかっています。ですが、例えば悪い菌の代表である大腸菌と相互作用させた時に、IgA抗体が大腸菌に何をしているのかがわからないんです。細胞表面に着くということはわかっているんですけど、くっついた後に何をするのかがわからない。ただ、世の中にはIgA抗体がない人がいて、そういう人はやはり腸内細菌があまりいい状態にはなっていません。今の研究ではIgA抗体が非常に重要な働きをしているということしかわからないんです。

便を移植されると、性格が変わる⁉

合田 新藏先生にお聞きしたいんですが、便移植した後に、その人の性格が変わったという報告があるんですが、本当なんですか。

新藏 どうなんだろう。「本当かな?」とは思います。でも、違う菌が入ると、その菌の作った代謝産物が神経系にも影響を及ぼすことは十分に考えられます。腸内細菌を変えることができたら、いろんな病気に効果があると思うので、私は健康長寿のために腸内細菌をIgA抗体でよく

★7 [オプジーボ] がん免疫治療薬。抗がん剤のように、直接がん細胞を攻撃して増殖を抑えるのではなく、免疫細胞ががん細胞を攻撃しやすくする薬。効果が現れる人の確率は25%前後とされている。

して病気の発症をなるべく減らしたいです。それが夢ですね。

富田 パーキンソン病[8]という神経の病気があります。この病気は、実際は脳に障害が起こっているんですが、今は「パーキンソン病は腸から始まる」という説が徐々に固まりつつあります。腸の動きを指示している「迷走神経」という神経細胞が、脳から腸までずっと繋がっているんですが、腸内細菌がその迷走神経に悪さをして、腸の神経がおかしくなって、脳がおかしくなるということがわかってきています。実は、パーキンソン病の患者さんって、便秘の人が多いんですよ。

瀧口 そうなんですか。

富田 やはり腸の動きが悪いことが影響しているのかもしれません。迷走神経を切除するという特殊な手術があるんですが、その手術をするとパーキンソン病のリスクがすごく減ります。この研究をきっかけに、パーキンソン病は脳の病気だと思っていたのが、実は腸、正確には腸の神経の病気だということがわかってきたんです。

瀧口 迷走神経は切除しても大丈夫なものなんですか。

富田 これは特殊な病気の治療法なので、基本的には切らない方がいいです。迷走神経を切除した方がパーキンソン病になっている確率が非常に低いということです。いずれにせよ、腸内細菌の異常が迷走神経を介在して脳に影響しているということは間違いないと考えられています。

瀧口 うつ病も腸と関係があると言われていますが、そうなると性格にも腸が影響している可能性があるというわけですか。

加藤 単なる消化器官ではない。

合田　つまり「エコシステム（相互依存）」なんですよ。人は細胞だけで生きているわけではない。実際、人の細胞の数よりも腸内細菌のほうが多いわけですから。

新藏　「エコシステム」や「超個体（多数の個体がひとつの個体のように振る舞うこと）」は「スーパーオーガニズム（複合生命体）」と言われています。今まで、医学は人間の体しか研究してこなかったんですが、そうではなくて、腸内細菌など微生物と相互作用して体の機能が変わるということを一緒に考えないといけないということです。

加藤　ちなみに、今回の話の中で腸に比べ胃が言及されていないのは、なぜなんですか。

新藏　胃には胃酸があるので、細菌の数が大腸に比べ1万分の1から10万分の1くらいしかいないためです。バリアの役割として、口から入ってきた悪い奴を胃酸でやっつけているわけです。

抗体を持っている人、持っていない人

瀧口　なるほど。それで、先ほど教えていただいたIgA抗体ですが、持っていない人もいるということでしたよね。

★8［パーキンソン病］脳の黒質にあるドーパミン神経細胞が壊れて、ドーパミンが減少することで起こる病気。筋肉が硬くなったり、動きが遅く少なくなったり、ふるえが起きたり、転びやすくなったりするなどの症状が出る。現在、日本には15万人以上の患者がいると言われている。

新藏　遺伝子を調べると、ＩｇＡそのものの遺伝子やＩｇＡを分泌させるタンパクの遺伝子などに変異のある人が結構います。欧米だと５００人にひとりくらい。日本でも１４００〜１５００人にひとりくらい。先天性の免疫異常の中では一番多い病気です。でも、今まであまり注目されていませんでした。というのも、他の免疫不全症と違って死亡はしないからです（ＡＩＤＳ：エイズなど）。しかし最近、腸内細菌が注目されるようになって、よく調べてみると免疫系疾患にかかる割合がすごく多いということがわかってきました。

瀧口　これは将来、薬など何かの形で補えるようになるんですか。

新藏　それを目指しています。ただ、作るのがすごく難しい。世界中でＩｇＡ抗体の薬を臨床で使っている例はありません。

瀧口　その難しさは、どのあたりにあるのですか。

新藏　「ＩｇＧ抗体薬」というものはすでにいくつもあります。さっき言ったオプジーボや「ヒュミラ」です。ヒュミラはＴＮＦαに対する抗体で、関節リウマチの治療などにも使われています。しかし、それらは全部「ＩｇＧ（免疫グロブリンＧ）」タイプで、血中に入れます。ですから、すべて〝体の中〟で働く抗体です。

一方で、私が作ろうとしているのは、口から飲んで腸管の中（腸管腔）＝〝体の外にある空洞〟にいる腸管細菌と相互作用させる、体の中に入れないものです。

瀧口　体の外にある空洞というのはどういうことですか。

新藏　腸の中の空洞は全部〝体外〟なんです。その体外に細菌がいっぱいいるし、そこに向かってＩｇＡ抗体が毎日たくさん分泌されています。その体外に届けようというので、今までのＩｇＧ抗体薬とはちょっと違います。
瀧口 ＩｇＡ抗体の薬が開発されれば、他の薬がいらなくなる可能性が高いということですか。
新藏 薬の量を減らせるんじゃないかと思っています。私が目指したいのは、薬のいらない健長寿です。ＩｇＡ抗体ももちろん薬なんですが、一度環境がよくなりさえすれば、ＩｇＡ抗体をずっと飲み続ける必要はないと思います。腸内がいい環境であれば、外から悪い菌が入ってきても、いい菌が排除してくれます。そうすると、色々な病気になりにくいんじゃないかなと思います。抗生物質を飲むことでいい細菌も全部殺してしまったりすれば別ですが。
加藤 現時点では、どれくらいの知見や実績があるんですか。
新藏 マウスの実験では効果が出ています。マウスに飲ませるＩｇＡ抗体は作れています。でも、人間の体重はマウスに比べて約２５００倍くらいあるので、その量を作るのがなかなか大変なんです。
加藤 まず作るのが大変で、そこからさらに「効くか」という実験もしなければいけないんですね。
新藏 そうです。けれども、薬が作れない限りは効くかどうかもわかりません。
加藤 ちなみに、副作用はあるんですか。
新藏 マウスで見ている限り副作用はありません。というのも先ほど述べたように、体の中に吸収されないからです。口から入れて、ほとんど便で出ます。その途中で腸内細菌を相殺する。

加藤　それって、人が飲むなら青汁なんかに入れちゃえばいいんじゃないんですか。
新藏　目指しているのはそれくらい手軽に飲めるものです。でも、ＩｇＡ抗体が人に安全で効果があるものだと確かめるには、きちんとした工場できちんとした品質のものを作らなければいけません。それには数十億円はかかります。
瀧口　作るのが難しいというのは、その数十億円する施設を持つことが難しいという意味ですか。
新藏　そうですね。まだ治験で使ったことがないので、「人に使っていい」と国に認めてもらうには、一定の品質の薬を一定量作らなければいけません。その試算をすると数十億円はかかります。
合田　お金と政策の問題ですね。結局、「鶏が先か卵が先か」ですが……。
加藤　効果はどうやって確かめるんですか。
新藏　10人ぐらいに飲ませるところから始めます。でも、そのために国の許可が必要なんです。

コロナワクチンがあれほど早く作れた理由

加藤　ちなみに、新型コロナウイルスのワクチンも似たようなプロセスで作られたんですか。
富田　新型コロナウイルスのワクチンはプロセスがちょっと違いますけど、考え方は一緒です。

新藏先生のＩｇＡ抗体は「新しいモダリティ（新しいタイプ）」と呼ばれるものです。

新しいタイプの薬を作る時は、重篤な副作用があったり場合によっては人が亡くなったりすることもあり得るので、ものすごく慎重に進めます。そうすると、科学的には効くことがわかっていても、レギュレーションサイド、つまり国や薬を承認する側は、安全であることが確実に担保されないとダメなんです。そのギャップというのは常にあります。ところが、核酸医薬である新型コロナワクチンの場合は、非常に多くの人に一気に使っていただいたので、そこのところをちょっとジャンプできたわけです。

加藤　コロナの時は、本当に安全かどうか断定はできなかったけれども、接種しないよりもいいということで、とりあえず誰かが打ってみた。すると「効くじゃん」ということで、社会的重要性を得られたということですかね。

富田　ワクチン自体はその前から研究されていて、その安全性は確かめられていたんですけれど、新型コロナウイルスに効くかどうかということが、その時はまだわかっていなかったんです。

加藤　接種しても悪い症状にはならないというのがわかっていたと。

富田　そうですね。でも難しいのは、例えば、オレンジジュース、グレープジュース、アップルジュースはみんな違うものじゃないですか。でも、カテゴリは全部同じ「清涼飲料水」ですよね。その清涼飲料水にあたるものが「核酸医薬」で、がんに対するワクチン、アルツハイマーに対するワクチン、新型コロナに対するワクチンとなった時に「オレンジジュース、グレープジュースは安全かもしれないけれど、アップルジュースは本当に安全ですか」ということになって、やはりアップルジュースもきちんと安全性を確かめないといけない、ということになるわけです。

合田　コロナ禍ではドイツの「ビオンテック（ファイザー）」[★9]とアメリカの「モデルナ」[★10]があって、海外で先にテストをしてから日本に入ってきたわけですよね。逆に言うと日本が先に作ることもできたわけでしょうか。

富田　日本だと、あのスピード感での承認というか、治験はできなかったと思います。また、そういう制度もありません。でも、アメリカは他に薬がなくても効きそうなものが出てくると「とりあえず試してみよう」というチャレンジ精神があります。また、そういう制度もあります。

母乳で育てることが大切な理由

加藤　話を戻しますが、欧米ではIgA抗体の研究はかなり進んでいるんでしょうか。

新藏　実は「IgA抗体を飲むといい」という研究は1970年代ぐらいから行なわれています。でも、その頃は「ヤギのミルクのIgAでも、母乳のIgAでもなんでもいい」みたいな状態でした。そして、ここ数年はアメリカよりもヨーロッパでIgA抗体が注目されています。ヨーロッパのある会社は、すでに動物用のIgA抗体を出しています。ヨーロッパの人と話をすると、腸内細菌は人の病気だけでなく、人にとって重要な家畜の病気を抑える意味でも重要だと考えていることがわかるんです。

瀧口　ちなみに、IgA抗体は母体から子供に受け継がれるものなんですか。

新藏　腸内細菌は、赤ちゃんが産道を通ってくる時にお母さんから受け継がれるんですが、IgA抗体は、母乳のなかに入っているものだけが赤ちゃんの腸管の中に入ってきます。赤ちゃんはIgAを自分でも作れないんですが、しばらくするといろんなものが腸に入ってきて、その刺激で自分でも作れるようになってきます。それには年月がかかります。だからそれまでの間、母乳で育てるというのが大事です。

乳酸菌って本当に効果あるの？

瀧口　最近は「腸活」という言葉がすごく流行っていますよね。私も乳酸菌飲料をよく飲んだりするのですが、効果はありますか。

新藏　あると思いますよ。ただ、生きた乳酸菌は腸まで届きますが、住み着くことはありません。

★9［ビオンテック（ファイザー）］ビオンテックはドイツに本社があるバイオテック企業。免疫系を刺激することを目的とする能動免疫療法を開発している。アメリカに本社を置く製薬会社ファイザーとともに新型コロナウイルス感染症のワクチンを開発した。

★10［モデルナ］アメリカに本社を置くバイオテック企業。メッセンジャーRNAに基づく医療品開発などを行なっている。ビオンテック（ファイザー）と同時期に、新型コロナウイルス感染症のワクチンを開発した。

それでも、その死骸がもともと自分のお腹にいる乳酸菌[11]やビフィズス菌[12]の餌になるので、いいことだと思います。そして、気をつけていただきたいのは、ヨーグルトにも生きた菌が入っていますが、同時に増粘剤や乳化剤などの食品添加物が入っていて、これが「腸内細菌の働きを介して腸の炎症を起こしたり、メタボリックシンドロームを起こすんじゃないか」という論文も出ていることです。

実際、スーパーなどでヨーグルトの成分表を見ていただくと、ほとんどの商品に増粘剤や乳化剤が入っています。だから、生きた菌を入れるけれども、そういう悪いものも一緒に入ってしまうという自覚を持ちながら、バランスを考えて食べてほしいです。色々な食べ物をバランスよく摂って、自分のお腹の中でいい菌を育てるんだという意識を持ってほしいです。特に食物繊維はいいので、ぜひ摂ってください。

瀧口　「腸内フローラ」という言葉もよく聞きますが、これは、いろんな菌を取り入れていい腸内環境を作りましょうということですか。

新藏　そうですね。腸には様々な細菌が百花繚乱のお花畑（フローラ）のようにいるので、その細菌の集合体を「腸内フローラ」と言います。その中でいい乳酸菌を増やすために何ができるかというと、食品添加物がいっぱい入っている食品をなるべく取らない、そして食物繊維をしっかり摂るということです。

加藤　乳酸菌は明らかに体にいいんですか。

新藏　いいと思います。ただ、そればかりっていうのは、ちょっとバランスが悪くなります。生きた菌はほとんど自分のお腹の中に住みつかないので、自分がお母さんからもらったいい菌を育てるためにいい食事をしてほしいです。

加藤　生まれ持っている菌以外は、それほど増えないんですか。

新藏　年齢によって少しずつ腸内細菌叢（そう）の構成は変化します。いい菌は増える速度が遅い傾向があります。逆に悪い菌はどんどん増えます。でも、いい菌が多ければ、悪い菌を抑え込んでくれる。ですから、そのバランスが大事なんです。

瀧口　抗生物質★13は腸内環境にとっては飲まない方がいいと聞きますが、実際はどうなんですか。

新藏　本当は飲まない方がいいです。抗生物質を飲んだあとに「菌交代現象」というひどい腸炎になることがあります。でも、抗生物質がないと感染症で死ぬこともありますから、それもバランスです。抗生物質と一緒に抗生物質耐性乳酸菌製剤（整腸剤）を処方してもらえるといいんですよね。最近はそういう処方をしてくれるお医者さんも増えています。

★11［乳酸菌］発酵によって糖から乳酸を作り出す微生物の総称。ヨーグルトやチーズ、漬けもの、日本酒などの製造で使われている。腸内で大腸菌などの悪玉菌の繁殖を抑える役割などをしている。

★12［ビフィズス菌］乳酸菌の一種で代表的な善玉菌。整腸作用や病原菌の増殖を抑える効果がある。発酵すると乳酸だけでなく、健康維持に関わる働きをする酢酸も発生させる。ビフィズス菌はm乳酸菌の１００倍以上多く腸内に住んでいて、腸内細菌の10％を占めるという。

★13［抗生物質］細菌による感染症を防ぐ薬。細菌の増殖を抑えたり、細菌を殺す働きを持つ。一方で抗生物質が効かない薬剤耐性を持つ細菌が増えているなどの問題もある。なお、抗生物質はウイルス性の感性症には効かない。

脳梗塞を予測する技術がある

瀧口　では、続いて合田先生に脳梗塞のお話を伺いたいと思います。

合田　脳梗塞[★14]は、日本では寝たきりになる要因の上位です。しかし、脳梗塞はいきなり起こるわけではありません。前兆として「ＴＩＡ」と呼ばれる「一過性脳虚血発作」があります。一過性なので、例えば脳の血管に血栓ができると、数分から長くても1時間ぐらい右手が動かないなどの障害が起きて、待っていればスッと消えます。

ですから、その段階で病院に行って診断してもらってもＣＴやＭＲＩではなかなか発見できません。そして、こうしたＴＩＡが何度か起きて、ある時ドーンと大きな脳梗塞につながるわけです。ですから、ＴＩＡを正確に診断してきちんと対策をとれば、脳梗塞は未然に防げる可能性があります。

血液には、微少な「血小板凝集塊」というものが流れています。私の研究室では、それを検出することでＴＩＡリスクを定量化して、診断に結びつけようとしています。

加藤　脳の病気は、血管に関するものや神経に関するものなどがありますが、アルツハイマーや脳梗塞はその中でも〝親玉〟という印象があります。

合田　脳の病気の多くは老化が関連すると言われています。老化してコレステロールが溜まってくると、血管がだんだん細くなってくるんです。例えば、4車線の高速道路が2車線になると、渋滞が起きますよね。同じようなことが血流でも起きています。

加藤　それで思い出したのですが、僕、頭痛が多くて。脳梗塞が心配になったので、病院に行ってCTを撮ってもらったことがあるんですよ。血管が細くなっていたようです。その後に合田先生の研究室で診てもらったんですが、そうしたら脳に酸素が行きにくくなっているので、心臓が脳に血を送ろうとして、今度は血圧が高くなっていると。結局はバランスなんですかね。

合田　病気はいきなり起きるわけではなくて、ホワイトゾーンからグレーゾーンになって、そしてブラックゾーンに移っていきます。その閾値（境界となる値）を超えると病気だと診断されるわけです。なので、なるべく閾値（いきち）を超える前の状態で病気になるリスクを下げることが重要ですね。

瀧口　人間ドックで脳梗塞の予測はできるんですか。

合田　できません。ただ、将来的にはできるようにしたいとは思っています。今はエビデンス（根拠・証拠）を集めている段階ですね。

富田　ちなみに血液検査に関しては、アルツハイマーにおいてはだいぶエビデンスは固まってきています。

ただ、認知症の中には「脳血管性認知症」というのがあるんです。脳梗塞はかなり大きい血管が詰まる病気ですが、細かい血管に梗塞ができる場合も、やはり脳に栄養がいかなくなって、詰

★14［脳梗塞］脳卒中のひとつで、脳の血管が詰まって血流が途絶え、酸素や栄養がいかなくなり脳細胞が死んでしまうこと。左右どちらかの半身の麻痺や失語症、ろれつが回らなくなるなどの症状が出る。

まった血管周辺の神経細胞が死んでしまいます。それが認知機能に影響して起こるのが、脳血管性認知症です。

この脳血管性認知症とアルツハイマー病を併発している患者さんが、実は結構います。アルツハイマー病は脳のゴミが原因と言いましたが、もともとゴミが溜まってダメージがある脳に、さらに血管が詰まって栄養がいかなくなると、もっと大きなダメージを受けることになります。ですから、脳の血管の健康度はすごく重要な課題だと思います。

加藤　脳梗塞は40代からリスクが出始めて、認知症は50、60代になるとリスクが高まってくるというのは本当ですか。

富田　認知症は、60代で発症する人は少ないですね。認知症は65歳を境に「早期発症型」と「晩期発症型」に分かれますが、65歳より前に発症する人は、かなりのレアケースです。ほとんどの人は70代以降です。65歳より若い場合は、「若年性アルツハイマー」に分類されます。

瀧口　先ほどのお話ですと、認知症には、神経だけでなく血管から来るようなケースもあるということなんですね。

富田　そうですね。ですから、脳もまたエコシステムなんです。腸で吸収した栄養が血管を通って脳に行くわけですから、どこかひとつでも悪くなると、それぞれのところで病気になるということはあると思います。

車を運転するだけで、認知症のチェックが可能になる

瀧口　続いてのテーマは、富田先生の「車を運転するだけで、認知症のチェックが可能になる」です。

富田　日常生活で使っている電子機器の多くは今、ログ（記録）を取ることができます。先ほど合田先生から「認知症になる前の状態をどう把握するか」という話がありましたが、認知症になる前の状態を把握する時に、電子機器のログを調べると、人間では気づかないレベルで認知機能が下がっていることがわかるのではないかと言われています。

その意味で車の運転は、目、腕、脚など全身を使いますから、それらをデータ化して認知症の兆候を見つけようという研究があります。他にも、テレビのリモコンなど家の中の様々な機械を使って、同様の兆候を調べようという研究が進められています。

瀧口　まさにＩｏＴの「触ったものからデータを取っていく」ですね。「車を運転するだけで」ということですが、車といえば加藤先生の専門分野です。

加藤　そうですね。最近の車は、様々なデータが取れるようになってきています。自動運転の分野だと、「運転がどれだけうまいか」ということが数値化できるようになってきています。自動

車教習所の教官がやっているチェックを自動化しているようなイメージです。そのデータを大量に集めると「運転スキルが低い人と比べても、明らかにおかしい」というデータが見つかることがある。もしかしたらこれが、認知症や認知機能の低下につながっているとわかるデータになるかもしれない。

そして、そういうデータが出てきた時に「一度、病院に行って診断を受けたらどうでしょう」というアドバイスができるようにしたいんです。ただし、アドバイスを受ける側からすると、わざわざ診断を受けに行くインセンティブ（動機）がないんですよね。診断に行ったからといって何かメリットがあるわけではないから「行くのが面倒くさい」と思ってしまう。でも、日頃の運転やゲームのプレイなどのライフログから「診察したほうがよさそう」とわかると便利かなと思います。

富田　そうですね。認知症の研究でも、診断を受けるインセンティブを設定するのは、なかなか難しいところがあります。なので今は、認知症の兆候がまったくない若い時からライフログなどを取り研究に協力した場合には、専門医から早めに助言がもらえるとか、あるいは新しい薬の治験に優先的に参加できるなどのインセンティブを付けてはいますね。

加藤　ちなみに、認知症というのは具体的にどのようなプロセスで診断するんですか。

富田　認知症の診断は「認知機能テスト」というペーパーテストと、臨床心理士さんに協力してもらって行うスコア化された検査があって、それで診断できます。あとは脳の画像です。ＭＲＩ（磁気共鳴画像）などで脳が実際にしぼんでいるかどうかを確認します。

また、脳の血流がどれくらい低下しているかを調べる脳血流スペクト検査もあります。そして、脳のゴミを直接見られるような技術が今は出てきているので、それらを組み合わせて総合的に診断するようになっています。

加藤　なるほど。やはり、きちんと診断を受けてもらう人をどれだけ増やすか、ということが大事なんですよね。

富田　そうですね。残念ながら認知症に対する完全な薬はまだありませんが、「これは脳で起こっている病気である」ということをきちんと診断することが重要です。

瀧口　完全な治療はできないとしても、進行を遅らせることはできるんですか。

富田　今は、死んでしまった神経細胞の役割を補うような薬が処方されています。その薬を飲むことで残された神経細胞の機能を高めて、一時的に症状を改善することは可能です。ただ、症状は徐々に進んでしまうので、その薬の開発は必要です。

瀧口　早期発見されるに越したことはないということですか。

富田　そうですね。脳のゴミに関しては、できるだけ発症する前に取り除くようなアプローチが研究されていますから、将来的にはそのような薬ができる可能性はあります。あとは、睡眠や運動が脳のゴミを取り除くようなので、それを早めに生活の中に取り入れる。現時点でサイエンティックにエビデンスのあるものをきちんと取り入れて、10年後、20年後にどうなるかということを検証したいですね。それが、今後の若い人たちに対しての新しい治療法に繋がるのではないかと思います。

「記憶とは何か」は、まだ解明されていない

加藤　認知症のわかりやすい症状は「状況を認識する機能が落ちる」ということですか。それとも「かつて覚えたことを忘れる」ということなんですか。

富田　「最近のことを覚えられない」というのが、典型的な認知症の症状だと思います。よく言われるのは「朝ごはんを食べたことを覚えていない」とか「自分の目の前にあるものはお店の商品だけど、それがわからずに取っていってしまう」などですね。

加藤　例えば、車の事故に関係する「青信号と赤信号の区別がつかない」などは、最近覚えたことを忘れたから起こる事態ではないですよね。そういう事故が起きるのは、認知症とどういう因果関係があるんでしょうか。

富田　運転はおそらく、かなり前に獲得している記憶だと思うので、それよりも例えば、歩いている人を見て「あの人はこちらに向かって来るかもしれない」と判断して車を止めることができるかどうかじゃないですかね。それぞれの瞬間における認識能力と、それを記憶に留めておくことができないことが認知症につながるのだと思います。

加藤　交通ルールを忘れているわけではなくて、予測という行為が著しくできなくなるということ

とですか。横断歩道に人が立っていたら、普通だったら飛び出してくるかもしれない、と考えますが、認知症では、そもそもそこに人がいることがわからないという感じなんでしょうか。

富田 運転のルールや、車をどう運転するかといった記憶は残っているのではないかと思います。私の祖母も認知症でしたが、症状がどんどん進んでいくと、私のことは40年くらい前から知っているはずなのに顔を忘れてしまっているんです。でも、60~70年ぐらい前に小学校で習った歌などは覚えていて、実際に歌える。おそらく、認知症になると昔に記憶したことは脳のどこかに残っているけれども、最近の記憶がどんどんなくなっていくようです。

瀧口 古い記憶がどこかにあるという今のお話は、すごく面白いですね。取り出せていなかっただけということですか。

富田 そういうことになりますし、最近の記憶がなくなると古い記憶が取り出せるというのも不思議ですよね。「記憶の研究」というのは、長らく「今、見たものを覚える研究」でした。これは人間に限らず、動物を使った実験でも同じです。例えば、人間の10年前、20年前というのは、ネズミの場合1年前とか1年半前ですが、「ネズミは1年前に獲得した記憶を覚えているか」という研究はしていないんです。ですから、古い記憶がどこにあって、どう処理されているかは、まったくわかっていません。

瀧口 では、それはこれからの研究分野ということですね。それから、脳で気になっていたのが、よく「デジャブ(既視感)」ってありますよね。あれは、なんでしょうか。

富田 色々な記憶の断片を頭の中でサーチしている状態かもしれません。普通の人だと取り出さないような記憶をうまく取り出しているけれど、それが不十分なのかもしれませんね。

瀧口　一度体験したことの要素が組み合わさって、今、目の前で起こっているように思えるということですか。

富田　脳は妄想もしますから、体験はしていないけれども、こうじゃないかなと思うことも記憶に残っていて、それらが組み合わさってデジャブが出てくるのかもしれません。多分、デジャブをよく見る方は記憶力がいいんだと思います。私なんて記憶力がなくて。昔の友達を全部忘れてるくらいです（笑）。

あと、似たような話として、私たちが眠っている間に見る「夢」というものがありますね。夢も脳のどこかを使って生み出しています。なので、それまでの体験や、目にした映像から出てくるインスピレーションなどが積み重なった結果、夢ができあがるんだと思います。

合田　富田先生にお聞きしたいんですけれども、私たちは仕事柄、人と会うことが多いじゃないですか。でも、私は新しい人の名前をなかなか覚えられないんですよ。これは何か関係がありますか。

富田　先生、それは老化だと思いますので、ある程度は仕方ないと思います（笑）。

加藤　「記憶とは何か」は、まだきちんと解明されていないんですか。

富田　そうですね。研究で主流なのはネズミを使った実験ですが、ネズミとは会話はできません。ですから彼らが何を話して何を考えているかは、正確にはわかりません。我々はネズミが「この場所に行った」とか「餌がなくなった」とか、その行動を見ているだけです。ですから、それは

「我々がこうやって話したことを10年後も覚えているか」という記憶と異質である可能性はあります。

麻酔はなぜ効くか、科学的によくわかっていない

瀧口　新藏先生は、脳や記憶に関することで、何かご質問はありますか。

新藏　はい。昔、麻酔科医をしていた時のことなんですが、今はもう使われなくなった麻酔薬で麻酔をすると「上から色とりどりのものがカラカラ、カラカラと落ちてくる」と何人もの人が言うんです。それで、違う薬で麻酔をかけると今度は「一気に真っ暗になる」と。あと「逆行性健忘」と言って、何か悪い出来事があったり、痛いことをされたりした場合も、セルシンという薬を打つと、その痛かった記憶だけがなくなるんです。セルシンは薬理作用がわかっている薬なので、脳科学なら部分的な記憶がなくなる理由がわかるんじゃないかと思うんですが、そういった研究は進んでいるんですか。

富田　そこは、やはり人と実験動物の違いが大きいと思います。そもそも、なぜ麻酔が効くかも実はあまりわかってないんです。

瀧口　え、そうなんですか。

富田 神経系のドーパミン[15]やグルタミン酸[16]など、いくつかの候補は考えられていますが、まだはっきりとわかっていないと思います。人に協力をしていただいて、ある程度の研究は進んでいると思いますが、心に出てくる情景まで含めた研究というのは、ちょっと見たことがありません。心理学の研究などと組み合わせると面白いんじゃないかと思いますけどね。

瀧口 私も過去に麻酔をかけられた時に、小学生の時に住んでいた実家の電話の保留音が頭の中でずっと流れていたことがあって、記憶って何かのトリガーがあって取り出されるんだな、と思ったことがあるんですが。

新藏 麻酔ではきっとあるんだと思います。先ほども述べましたが、麻酔をかけて眠る前に痛い思いをさせちゃった時に打つと、患者さんは目が覚めた時にそれを忘れているという薬もあるんですよ。記憶がどこの細胞にどういうシグナルで入っているとか、どこに記憶が残っているのかって、まだ科学的に全然わからないんですよね。

加藤 じゃあ、もしかして睡眠導入剤[17]もなぜ効くのかよくわかっていないんですか。

富田 睡眠導入剤は、メカニズムとしてはわかっています。例えば、メラトニン[18]は睡眠のリズムを整えるとか。あと、脳の機能を低下させるものとか。

新藏 「意識」という問題だと思います。麻酔によってなんで意識がなくなるかも、わかっていないんです。麻酔薬は、意識だけがなくなります。だから、麻酔中に痛いことをされると体は痛い時の反応をするんです。

加藤 これだけみんなが研究しているのに、人間のメカニズムって実はわかっていないことの方が圧倒的に多いんですね。

瀧口 逆に言えば、まだまだ色々なフロンティアがこの世界にはあるということで、ワクワクするような感じもします。

IgA抗体で新型コロナウイルスも克服できる？

瀧口 続いては新藏先生の「IgA抗体で新型コロナウイルスも克服できる？」です。

新藏 先ほど、IgA抗体は腸の中に出ていますと言いましたが、腸だけでなくて口の中にも鼻の中にも、気管や気管支にも出ています。要するに、全身の表面を覆っている皮膚以外の粘膜にIgA抗体が出て、働いてくれているんです。先ほどお話にあった新型コロナワクチンは注射で

★15［ドーパミン］神経伝達物質のひとつ。快楽や多幸感を得る脳内報酬系を活性化させる役割を持っている。また、運動やホルモン調節、感情などにも深く関わっていると言われている。ドーパミンが減少することで発症する病気に、パーキンソン病などがある。

★16［グルタミン酸］タンパク質を構成するアミノ酸の一種。そのほとんどが筋肉の中に存在し、エネルギー源として使われたり、筋肉を作る材料となっている。また、肝臓機能のアップのほか、胃腸機能を助ける働きもあると言われている。

★17［睡眠導入剤］現在使われている睡眠導入剤は、脳の機能を低下させるものが中心だが、最近は自然な眠気を強める睡眠導入剤も使われ始めている。脳の機能を低下させる睡眠導入剤は、作用の時間や強さを計算できる利点がある。

★18［メラトニン］脳の松果体から分泌されるホルモンで、睡眠作用がある。明るい光を浴びるとメラトニンの分泌は抑制されるため昼間の分泌量は低く、夜間は昼間の十数倍の分泌量があると言う。海外では睡眠薬としてメラトニンが販売されている。

すよね。あれは体の中に入ってきたウイルスに対抗するためのものです。

しかし、もし粘膜面のＩｇＡ抗体の分泌を多くすることができたり、新型コロナウイルスに対してすごく強い働きを持つＩｇＡ抗体をたくさん作るような粘膜ワクチンができたりすると、そもそもウイルスが体の中に入ってきません。すべて外でやっつけてくれるということになります。

加藤　外でやっつけるとは、具体的にどういうことなんですか。

新藏　ウイルスは自分だけでフワフワと舞っている時は長生きできません。人の細胞の受容体とくっついて人の細胞の中に入って初めて、自分を増やすことができます。そして、どんどん増えて他の細胞に自分の子分を蔓延させるというのが「感染」です。その最初の侵入が粘膜面なんです。だから、粘膜から入ってくる時にブロックするような粘膜抗体を作るということです。

加藤　粘膜というのは、具体的にはどの部分を指すんですか。

新藏　口や消化管など、皮膚と違って赤い色味があるところは全部粘膜です。

皮膚は、私たちの外表面を覆っているものです。皮膚からウイルスが簡単に入らないのはなぜかというと、細胞が何層にも重なっているからです。そのため、ウイルスがなかなか体の中に侵入できません。一方で、粘膜は一層の細胞しかありませんから、病原菌やウイルスが侵入しやすい。口や結膜、呼吸器、泌尿や生殖器系といった粘膜から病原菌やウイルスは侵入してきます。逆に言うと、そのような一層の構造でないと消化吸収ができないんです。そこを守っている主な抗体がＩｇＡなんです。

瀧口　今までのワクチンは、すでに体の中に侵入してきた後にやっつけるためのものだった。しかし粘膜ワクチンであれば、体の中に侵入する前にやっつけられるということですか。

新藏　そうです。ところが今、その粘膜のワクチンを有効にさせる方法がなかなか見つからないんです。というのも、食べたものにいちいち免疫が反応したら大変ですよね。毎日、お腹が痛くなります。ですから粘膜の免疫は、すべてには反応しないようにコントロールされています。それが体の中の全身免疫系との大きな違いです。食べ物や病原菌ではない常在細菌に反応しないようになっている。その免疫系をあえて活性化しようとすると、かなりの工夫が必要だというのが現状です。

加藤　特定のウイルスだけをやっつけるというのが難しいということですね。

新藏　そうです。粘膜免疫系は教科書にもあまり出ていないですし、皆さんの常識にもなかったと思うんですが、この10年くらいで、すごく大きくなりつつある分野です。

瀧口　最新の研究なんですね。

新藏　それから、注射の場合は「アジュバント」と呼ばれる化合物と一緒に打てば、免疫反応がかなり上がるという方法が確立しているんですが、これも粘膜面に関してはまだよくわかっていません。でも、コロナ禍があったので国がお金を出そうということになりました。

瀧口　お金がつくようになったということは、その粘膜のＩｇＡ抗体で新型コロナウイルスもやっつけられるようになるかもしれない、ということですね。

加藤　それは飲み薬ですか。

新藏　飲むか、鼻にスプレーするか、うがいするかです。粘膜に作用させます。

瀧口　ＩｇＡ抗体の研究では資金調達が難しいというお話が先ほどありましたけれども、コロナ禍でそこが大きく変化したんでしょうか。

新藏　今は新型コロナの研究にお金が回っているので、ＩｇＡ抗体にはなかなか回ってこないと思います。それでも、自分のやりたい研究なので、まずはできることからやろうというのが研究者としての気持ちなのかなと思います。

目先の問題ばかりに研究予算が使われている日本

瀧口　合田先生と富田先生は、どう考えていらっしゃいますか。研究費、あるいは世間の文脈とご自身の研究内容をどうすり合わせていくのかなどについて。

合田　国の予算は、どうしても目の前にある問題を解決するような分野に使われがちです。しかし本来、研究は何十年というタイムスパンで考えないといけない。例えば、新型コロナウイルスのワクチンも、もともとあったメッセンジャーＲＮＡの技術を利用してできたわけです。コロナが流行してすぐに開発されたものではありません。つまり、目先の問題以外の分野を無視すると研究者は育ちませんし、知見も蓄積しません。そうしたデメリットは感じます。

加藤　今はＩＴのテクノロジーブームによって開発のサイクルが短くなっていますよね。２、３

年のスパンで状況がどんどん変わってしまいます。そして、そういう分野に予算がつきやすくなっている。しかし、サイエンスの研究は本来10年、あるいは100年くらいのスパンの話です。そこに国の研究費を、特に基礎研究に出せればいいんですけどね。

　合田先生はアメリカでの研究生活も長いと思いますが、日本の医学系の研究の基盤は、やはり短いスパンでの目線になっていると感じますか。

合田　私から見ると、日本は基礎研究がない国というイメージがあります。アメリカに丸投げしている気がするんですよ。というのも、基礎研究はいつどこで活用できるかわかりません。新型コロナウイルスのように、いきなり活用されるかもしれないし、何十年も活用されないかもしれない。そこが難しいところです。しかしだからといって、やらないわけにはいきません。

瀧口　富田先生の認知症の分野は、いかがでしょうか。

富田　認知症は患者さんと併走していかなければいけないので、どうしても時間がかかります。ですから、結果が早く出るスパンの短い研究ばかりに研究費が流れると、なかなか大変です。また、私個人は病気の研究をしていますが、基礎研究にも面白いものがたくさんあると思っています。例えば、ゲノムの技術もシークエンサーも、病気とはまったく関係ないところから出てきたものですよね。そうした基礎研究に若い研究者が興味を持ってくれると、車の両輪のように回り出して、いい結果を生むのかなと思います。

瀧口　アメリカでは、認知症研究に日本の100倍ほどの予算がついていますよね。

富田　そうですね。そのきっかけになったのは、ロナルド・レーガン元米大統領[★19]が、自分は認知症であると公表したことです。それまで認知症は、アメリカでも隠すべき病気であるという考え方が多少はあったようですが、レーガン大統領が「自分は認知症なので、これから人生の幕引きをしていく」と発表してから情況が変わりました。その後、テレビに出ている有名人などが「自分も認知症である」と次々に告白したんです。そうすると、国全体で「認知症をなんとかしなきゃいけない」という機運が高まって、研究に莫大な予算がつきました。ですから、欧米は日本に比べて認知症の研究が早かったんです。

加藤　日本では影響力を持った人が、自分の病状を告白するケースがまだ少ないですよね。

富田　そうですね。ただ、認知症のような病気には「共生」という考え方があります。認知症の人や介護する人が希望を持って生きていけるようにする、という意味です。というのも、今は完全な治療法がないんです。だから、病気に対して何か手を打たなければという時に「今はダメかもしれない。けど、研究を進めていけば将来的に治療法ができるかもしれない」ということを理解してもらうしかありません。

日本では認知症の患者さんがすごく多いこともあって、この共生のほうにかなりシフトしているんです。一方でアメリカの場合は、国として「この病気に打ち勝つぞ!」みたいなキャンペーンを共生と同時にやっていたんです。それが日本でもできればいいのですが。

日本からスター研究者を生み出すには

瀧口 続いてのテーマは「日本からスター研究者を生み出すには」です。これは事前の取材の中で新藏先生と富田先生のおふたりがお話ししていたことです。まず富田先生にお伺いしますが、どうすればスター研究者が出てくるんでしょうか。

富田 ひとつのことに秀でている方はたくさんいらっしゃると思うんですが、やっぱり裾野が広がらないと、スターはなかなか出てこないと思うんです。例えば、初めから野球だけをやっていて、それで野球の一流選手になったという人は少ないと思うんですよ。それよりも、色々なスポーツをやったけれども、最終的に野球が好きだから野球を選んだ、そして一流になったという人の方が多いと思います。同じようなことは科学にも言えて、例えば工学、理学、医学など様々な分野に触れると、「自分はこれが一番面白い」という分野が出てきて、そして、その分野で秀でるということがあると思うんです。ですから、研究者の裾野を広げるということが大事なのかなと思います。

★19 〔ロナルド・レーガン元米大統領〕第40代米国大統領。アメリカ出身。1911−2004。俳優として活動した後、カリフォルニア州知事を経て、1981年1月から89年1月まで米国大統領を務めた。レーガノミックスで米国経済を回復させ、外交では東西冷戦の終結に貢献。1994年、アルツハイマー病を告白。

というのも、実は私は最初、文系だったんです。数学や物理はすごく苦手で、文系の方が面白くて、文系の勉強をずっとしてから理系に来ました。でも、その文系の勉強が今はとても役立っています。ですから、特定の分野だけがいいということではなく、色々な分野を経験していると、スター研究者になるような人が出てくるんじゃないかと思います。

瀧口 分野を横断することが大事ということでしょうか。

富田 分野を横断することまで意識しなくてもいいと思うんですけど、日本は科学に対するリテラシーが少し低いのではないかと思っているんです。科学というのは、基礎研究をやっている人たちがいて、その人たちの発見が世の中の色々な文明を作っているわけです。そういったことに対する感謝の気持ちが、日本人は足りていない気がします。それは、もしかしたら教育の問題があるのかもしれませんが、私たち研究者の対応にも問題があると思います。私たちは、どうしても自分の研究のことだけに時間を使いがちです。でも、自分の研究を一般の方にわかりやすく広く宣伝する努力も必要だと思うんです。

その意味で、私はアメリカに留学していた時に感銘を受けました。アメリカの研究者が、わかりやすく伝える努力をすごくされていたからです。だから、メディアだけでなく、色々なところで「科学って大事なんですよ」と伝えることが、ゆくゆくは研究費にも繋がるかもしれないし、スター研究者にも繋がるかもしれない。地道な努力かもしれませんが、それをやる必要があると思います。

加藤 どうやったらスター研究者が生まれるのか、という研究もありますよね。この人はこの人と友達で……といった関係性のグラフみたいなものを作っていくと、どういう人がスター研究者になるのかを追跡できる。

合田 そういう研究もありますね。

話を戻すと、日本の大学の研究室の予算は、最大で年間数億円くらいです。それ以上は増えません。なぜかというと、日本は予算の集中を避けたがるからです。もちろん税金をベースにしている以上、研究分野はなるべく分散させるというのは当然です。では、アメリカの場合どうかというと、スター研究者には民間企業がお金を出すんです。そこが違います。そして、たくさん投資家がつけば10億円、１００億円というお金が集まります。その結果、例えばモデルナの新しい薬がＭＩＴのいち研究室から生まれたりするわけです。日本は、それができていません。

富田 科学の可能性を信じることが大事だと思います。

投資というのは失敗する場合もあるけれども、ごく稀にうまくいくものがあって、それが莫大な利益を生み出します。科学も薄く広くではなくて、ある程度セレクトした中で集中的に研究をするとうまくいく場合が多い。

もともと科学はヨーロッパの貴族の趣味のようなものでした。「科学者」という職業が存在して何かを生み出していたわけではなく、芸術のように科学者が何か新しいものを生み出すことを面白いと思ってサポートしてくれるパトロンがいたわけです。その意味でも、「科学者が生み出す何か新しいことが世の中を変えるんだ」ということに対する信頼が日本人は低いのかもしれません。

合田　科学が文化として根づいているかどうかということですよね。

もっと科学を信用してほしい

新藏　本当にその通りだと思います。日本の皆さんには、もっと科学を信用してほしいです。ある調査の統計ですが「色々な情報の中であなたは何を信用しますか？」という質問に対して、欧米人は「科学者の意見」という回答が一番多かった。一方、日本人の回答で最多だったのは「マスコミの情報」でした。あるテレビ番組でコメンテーターが、新型コロナウイルスのワクチンについて話していたのですが、免疫学者からすれば「これはちょっとおかしいな」ということを堂々と話していたんです。そこはやはり、科学者の意見をしっかり伝えてほしかった。

また、日本のもうひとつの問題点は「すぐに誰かを悪者にしたがる」ということです。科学者は騙そうと思って研究をしているわけではありません。「可能性を追求する」のが科学です。その時に本当だと思うことを発表し、それを他の研究者が検証して「いや、そうじゃなくてこうだろう」と言いながら先に進むのが科学なんです。しかし「反響が多すぎるから言えない」「私の立場からは言えない」と多くの研究者は口を閉ざしてしまうケースが、日本では多くある。本来は「こういう可能性もある」「いや、こういう可能性もある」ともっと議論するべきなんです。それが先進国だと思うんです。そういう意味でいうと、日本はまだ途上国だと思います。

それで、スター研究者をどうやって出すかという話に戻れば、人と違う意見をすぐに押さえ込もうとする環境の中では、スター研究者はなかなか生まれないと思います。

加藤　日本の科学を発展させようとするならば、科学者だけでなく、教育、投資家、マスメディア、ジャーナリストなどのレベルも上がらなければいけないということですね。

新藏　そう思います。

瀧口　本来は、広く様々な専門家が集まってディスカッションするべきですよね。

新藏　そうですね。科学だけでなく、論理的思考を鍛える意味でも重要だと思います。子供たちとアメリカで生活をしていた時のことですが、アメリカでは小学生でもきちんとディベート（討論）をさせるんです。また、論理的思考を組み立てさせるために毎週作文を書かせていました。日本では今、作文をあまり書かせなくなったようです。小学校の懇談会で「なんで作文を書かせないんですか」と先生に聞いたら「忙しくて読む暇がないんです」と言われました。

瀧口　教育現場では、先生たちの負担が大きすぎるという問題があるわけですね。

合田　私もアメリカに15年ほど住んでいたからわかるんですが、アメリカは基本的に「コマンダー教育」で、日本は「ソルジャー教育」なんです（P.46参照）。これは以前も話したことですが、組織は基本的に少数のコマンダー（司令官）と多数のソルジャー（兵士）で構成されています。アメリカは移民が入ってくるので、ソルジャーが常にいる状態です。ですから、コマンダーを育成する必要がある。

一方で日本は移民が入ってこないので、今いる国民でソルジャーを作らないといけない。構成数を考えるとソルジャーの方が多く必要です。ですから、日本の教育はソルジャー教育に偏るわけです。

ちなみに、シンガポールもコマンダー教育です。シンガポールは、マレーシアやインドネシアから移民がやってきます。最近、「シンガポールの教育がいい」と耳にすることがありますが、それは「コマンダー教育がいい」と言っているわけです。では、日本の教育はどうすればいいのかとなると、コマンダーを育成したいのか、ソルジャー育成したいのかがわからない。入試改革のゴタゴタを見てもわかるように、ごっちゃな状態になっているわけです。

瀧口　基本的には、コマンダー教育にシフトしていくべきということですね。

合田　そうですね。「人数的にはまだソルジャーの方が必要だけれども、あと10年経ったらコマンダーの方が必要だよね」というのが現状だと思います。

瀧口　今後はＡＩやロボットがソルジャーを代替できる時代になるので、コマンダー教育に移行するべきだという未来は見えていますよね。

合田　将来的にはそうですね。

東京大学のよさは教養学部にある

加藤　でも、日本の教育水準そのものは高いですよね。しかも、あまり格差がない。
　東京大学でいうと、前期課程は「理科Ⅰ類」「理科Ⅱ類」「理科Ⅲ類」と分かれていますが、後期課程になるとそれぞれの学部にいきます。そして、文系に転じることもできますし、僕がやっているコンピュータサイエンス、あるいは医学系、薬学系にもいける。要するに、ものすごいポテンシャルを持った学生さんが多いと思うんです。先生方の研究室には、どんな学生が多いんですか。

富田　薬学部の場合は、理科Ⅱ類から来るケースがほとんどです。薬学部が他の学部と比べ少し特殊なのは、国家試験である薬剤師試験のための教育も含まれているので、生物学や科学だけじゃなくて、物理学や数学なども勉強しなくてはいけません。ですから、幅広い分野に興味がある人が比較的多いと思います。

合田　私は、東大は教養学部があることが非常にいいと思っています。入学後の2年間は教養を勉強して、3年生から、薬学部や理学部、工学部といった専門分野の学部に分かれる。その時に、旧帝国大学（北海道大学、東北大学、東京大学、名古屋大学、京都大学、大阪大学、九州大学）から、今の国立大学に移った時に教養学部を残したのは東大だけなんですよ。私が先ほど言ったコマンダー教育に一番合致しているのは、教養学部です。

アメリカで幅広い知識を持った人が多いのは、リベラルアーツカレッジ（一般教養課程を主体とした大学）出身者です。リベラルアーツカレッジは非常にレベルが高くて、そこからＭＩＴ（マサチューセッツ工科大学）やハーバード大学に行く人がかなりの割合でいるんです。

加藤　1、2年生の間にジェネラル（全般的）な教育を受けて、3、4年生になると自分の専門性を突き詰められる。この東大のシステム自体はいいということですね。

合田　そうですね。コマンダーを育成する上では、いいシステムだと思います。

瀧口　なるほど。とてもお話が盛り上がっているところなのですが、そろそろ終了のお時間です。本日の感想をお伺いしたいのですが、まずは新藏先生いかがでしょうか。

新藏　とても楽しく過ごさせていただきました。それで最後にちょっとだけ言わせていただくと、実は私は東大というのがまだよくわかっていないんです。私は京都大学卒で、今はほとんど大学院生としか接していません。その大学院生も多くは外部の大学から来ています。ですから東大生に接しているのは薬学の講義の時だけです。でも、東大と京大で大きく違うなと感じることがあります。というのは、東大生は皆さん、真面目できちんとされている。

一方の京大生は、私の学生時代は「変人がよし」とされる風潮がありました。人と違う意見が尊重される文化だったと思います。ですから、東大もそういう人たちがたくさん出てきて、新しいことを始めてくれたらいいなと思います。

富田　私は1年半アメリカに留学しただけで、後はずっと東大ですが、こんな髪型（ポニーテール）をしている時点で、東大では新藏先生がおっしゃる変人の部類かもしれません。

ちょっと話がずれてしまうんですが、実は私はアメリカに行く前からこの髪型をしていて、アメリカに着いて最初に泊まったホテルの女性から「ユア・ポニーテール・イズ・ナイス！」と言われたんです。それまで、日本で医療系の学会などに出ると「髪を切れ」「お前は何をやっているんだ」などと怒られてばかりいました。その頃は私も若かったので、「伸ばしたいから伸ばしているんです」と反抗していたのですが、アメリカに行ったら真逆の反応で、自分の髪型をポジティブに捉えてくれた。これは衝撃でした。今回は皆さまから、それと同じくらい衝撃的なお話を伺えたのでとても楽しかったです。

合田　私もアメリカのバークレー大学とＭＩＴ出身なので、新藏先生と同じように東大をいまだによくわかっていません（笑）。それは置いておいて、今回も色々と学ばせていただきました。ありがとうございました。

瀧口　今回は「科学は、わからないことが多い中でも、一歩一歩前進しているんだ」ということを知ることができてよかったと思います。

加藤　いい研究をしてる先生方がたくさんいるので、今後も少しでもわかりやすく伝えられるといいなと思います。

瀧口　皆さん、今回はどうもありがとうございました。

Part4のおわりに　司会・瀧口友里奈より

科学者はその時代の最先端にいる、人類代表の知の開拓者と言えるでしょう。しかし、そんな科学者がリスペクトされていないと感じる場面があります。新藏先生が指摘されていた通り、科学者が間違うとすぐに世間から叩かれてしまうような風潮は、健全な科学の議論や進歩を阻害する危険があると感じます。

「巨人の肩に乗る」という言葉があります。先人の科学者たちという知の巨人たちの肩に乗り、彼ら彼女らの発見の上に成り立つ新しい科学の境地に至ることです。かつて、アインシュタインの「一般相対性理論」がニュートンの「万有引力の法則」を書き換えましたが、アインシュタインは、ニュートンに大きな敬意を持っていました。ニュートンという知の巨人の肩に乗って、それを書き換えるような新たな理論をアインシュタインは構築したのです。このようにして、人類は知のバトンを脈々と繋いできました。これまで正しいとされていた理論が新しい発見によって書き換えられたからといって、それは先人の名誉を汚すものではありません。以前、ノーベル賞受賞者の山中伸弥先生に取材した時にも「100%の真実には届かない」という趣旨の言葉をおっしゃっていました。限りなく100%に近い真実を目指して、届かない恐れと隣り合わせに知の境地に挑み続け開拓する人類代表には、適切な信頼やリスペクトが寄せられるべきだと、今回のセッションを通して改めて感じました。

おわりに

2021年1月、突然現れたSNS「club house」。

加藤真平先生の呼びかけで、「今後の東大の発信について考えよう」と東大の先生たちが何人も集まり、私も声を掛けていただきトークに参加しました。オーディエンスの人数も200名を超える大盛り上がりでした。

「落ち着いたらリアルで集まって面白いことをしたいですね」。

そんなコロナ禍の約束からこのコンテンツは始まりました。


私がコンテンツの企画プロデュース、ディレクション、司会を担うことになり、今までにない形で、普段大学自体には興味を持たない広い層の方にも発信したい、という思いで会議を重ねました。そんな中で、異分野の先生方が集まる機会が、実はなかなかないことがわかったのです。そこで、皆さんが楽しそうに生き生きと話されている姿をお届けすることが、一番大学の魅力が伝わるのではないかと考えました。先生方の未来へのビジョンや想像力が面白いのはもちろんのこと、先生方には「知」を仕事として選んで生きてきた者同士のリスペクト、そしてそれぞれが磨いてきた「知」で繋がる、貴重な絆のようなものを感じたからです。大学って「知」で繋がる絆を作っていく場のようにも思えるのです。

コロナ禍で人と人との「絆」の価値が改めて見直されました。私の仕事であるキャスター・モデレーターは、情報を通して輪を繋ぎ、深め広げていく仕事でもあります。人との繋がりといえば「友情・愛情」そういった絆が真っ先に頭に浮かぶものですが、「友達なんかいらない」と、いつかテレビでタモリさんが言っているのを観ました。その真意はわかりませんが、私はテンプレートの「友情・愛情」みたいなものに縛られないことが、幸せの鍵なのではないかと思っています。友情や愛情は、後からそれの一つ一つにそのような名前が付くくらいがちょうどいいのだと思います。たとえいわゆる「友情・愛情」に挫折しても、「知」の絆で繋がりあい、人生が豊かになったりすることもあるということ。「絆」のあり方って、色々あります。大学は、誰にとってもそのような豊かさに開けた場所であるはず。私が伝えたいと思ってきたのは、そんな在り方なのかもしれません。

そのようにして、東大公式YouTube「知の巨人たちの雑談」が生まれました。この書籍は、その未配信部分を含めた完全版です。

最後に、この場を借りて感謝を述べさせてください。

加藤真平先生、新海正史さん、そして賛同して出演してくださり、ご多忙な合間を縫って本書の制作にお付き合いくださった先生方。

コンテンツを応援してきてくれたWedge編集部 大城慶吾さん、木寅雄斗さん。

〝情報で社会のイノベーションを加速する〟という弊社グロープエイトのビジョンに共鳴して関わってくれている皆さん、所属のセントフォースを始め、これまで私を理解し応援してくれ仕事をご一緒させていただいてきた皆さん。

そしてYouTubeを観て熱い手紙をくださった編集者の出口翔さん。

なんでもやってみるものだなと思えるのはあなたのような人と出会えるおかげです。

皆さん心からありがとうございます。

そしていつも支えてくれる家族、ありがとう。

今回のように、未来へのビジョンを持ち寄って共有し議論する場を作ること、そしてその情報をオープンにシェアしていくことがとても重要だと考えています。

今の状況に風穴を開けられるのは個々人の力です。一人一人に考える材料としての適切な

〝情報〟が満遍なく行き渡れば、国全体がダイナミックに変わっていくようなきっかけになるのではないかと考えています。

これからさらに輪が広がり、あなたもジョインしてくれると嬉しいです。
感想をぜひX（旧Twitter）で聞かせてください。よろしければ、こちらのハッシュタグで。

#東大教授の未来予測

ここまで読んでくださり、本当にありがとうございました。

瀧口友里奈

チャンネル紹介

本書の元となったYouTube番組、
『東大×知の巨人たちの雑談』は、
以下リンクにて好評公開中！

『東大×知の巨人たちの雑談』
https://www.youtube.com/playlist?list=PL6EBMvEIvyjwXqHweygHsO_rvZ5zzicAa

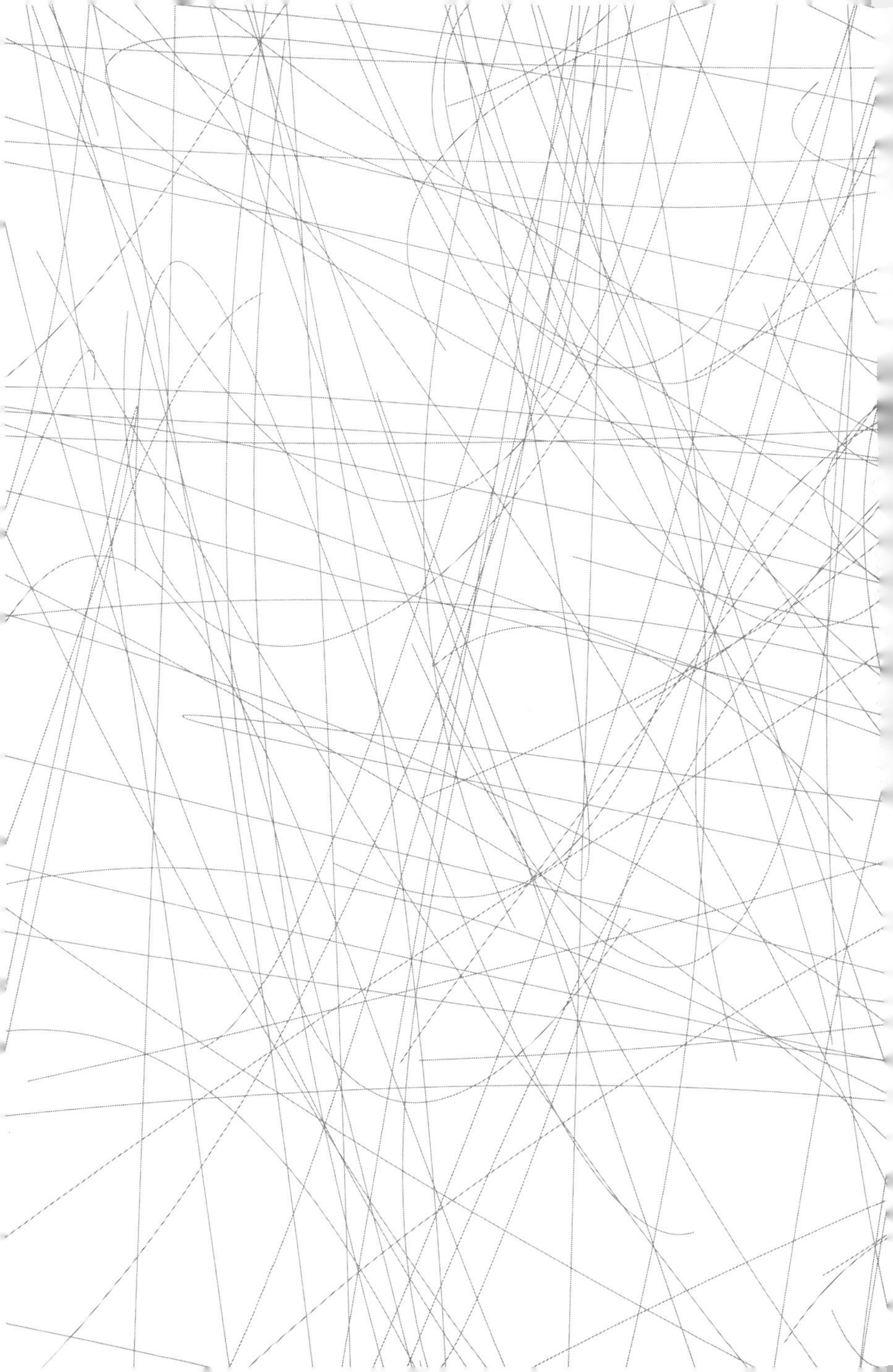

編著・瀧口友里奈

1987年神奈川県生まれ。東京大学文学部社会学専修卒業。SBI新生銀行社外取締役。在学中にセント・フォースに所属して以来、『100分 de 名著』(NHKEテレ)、『ニュースモーニングサテライト』(テレビ東京)、『CNN サタデーナイト』、経済専門チャンネル『日経 CNBC』等の司会やキャスター、そして「難しいテーマだいたい司会する人」としてビジネスイベント等でモデレーターを務める。また、日米欧・三極委員会日本代表を務めるほか、2021年には東京大学工学部 アドバイザリーボードに就任。産学連携を始めとした、社会に開かれた大学づくりへの貢献を目指す。また、東京大学公共政策大学院の修士課程に在学中。2022年には、本書の収録元の YouTube 番組『東大×知の巨人たちの雑談』の企画・制作を務める。

東大教授が語り合う 10の未来予測

2023年11月30日　第一刷発行

編　著　瀧口友里奈

発行者　佐藤靖

発行所　大和書房
東京都文京区関口 1-33-4
電話　03-3203-4511

ブックデザイン・DTP
大倉真一郎

編集協力　村上隆保

協　力　株式会社グローブエイト

編　集　出口翔

本文印刷　厚徳社

カバー印刷　歩プロセス

製　本　小泉製本

ISBN978-4-479-39415-0

https://www.daiwashobo.co.jp/